莫洛伊

贝克特作品选集 3

[爱尔兰] 萨缪尔·贝克特 著

莫洛伊

阮 蓓 译

湖南文艺出版社·长沙

SAMUEL BECKETT
MOLLOY

Ⓒ 1951 by Les Éditions de Minuit
根据午夜出版社 1951 年法文版翻译
并获简体中文版出版授权

一

我在我母亲的房间里。现在是我生活在这里。我不知道我是怎么到这儿来的。可能用了一辆救护车，肯定是一辆什么运载工具。有人帮了我。独自一人我是做不到的。这个每星期都来的男人，可能是多亏了他我才在这儿的。他说不是。他给我一点儿钱，并把纸页拿走。那么多纸页，那么多钱。是的，我现在工作，有点儿像从前一样，只是我不再会工作了。这并不重要，好像是这样。现在我想谈论的是留存于我的事情，道别，最终死亡。他们不想这样。对，他们是好几个人，似乎是。但来的总是同一个人。您晚些再做那些，他说。好吧。我不再有很多意愿。您看。他来寻找新的纸页的时候把上个星期的纸页也带了回来。那上面画着我看不懂的记号。其实我并不重读它们。我什么也不做他就什么也不给我，他斥责我。但我工作不是为了钱。那为什么呢？我不知道。我知道的事不多，坦率地说。比方说我母亲的死，在我到的时候她已经死了吗？还是只是在晚些时候才死的？我指的是可以下葬的死亡。我不知道。可能人们还没有埋葬她。不管怎样，是我拥有了她的房间。睡在她的床上，便在她的壶里。我占据了她的位置。我准是越来越像她了。只差有个儿子了。可能在哪儿我真有一个。但我不信。他现在准是老了，几乎跟我一样老。那是一个小女仆。那不是真正的爱。真正的爱在另一个女人身上。您将会看到。现在我又忘了她的名字了。有时候我觉得我甚至认识我的儿子，我照顾他。然后我告诉自己这是不可能的。我能照顾人是不可能的。我还忘了拼写法和一半的词汇。这并不重要，似乎是。我倒是想这样。那是个怪家伙，那个来看我的人。他每个星期天都来，好像是的。其他的日子他没空。他总是渴。正是他说我开始得很糟，应该以另一种样子开始。我倒是想。我的开始开始得，您想象好了，像一个老笨蛋一样。这就是我自己的开始。他们不管怎样都要留着它，如果我理解对了的话。我自己困扰自己。就是这样。它给我很多磨难。那就是开始，您明白。然而它几乎已近于结束了，就在当前。我现在所做的就更好吗？我不知道。问题不在这儿。这就是我自己的开始。它应该意味着什么东西,既然他们要留着它。这就是。

这一次,然后我想会再有一次,然后我想这就结束了,跟随着那个世界一起。这就是最末之前的意义。一切都模糊起来。再发展下去人就将失明了。这是脑子里的事。它不再有用了,它说,我不再有用了。人也变哑了,嘈杂声越来越弱。门槛刚刚越过就是如此。是脑子受不了了。以至于人们对自己说,这回我准能成,然后可能再有一回,然后这就完结了。人们费尽心力传示这一思想,因为这是一个思想,从某种意义上说。那么人们想小心翼翼,小心翼翼地考虑所有这些晦暗的事物,艰难地对自己说,错误在于自己。错误?这就是人们用的词。但是什么错误?这不是道别,那么是怎样的魔法存在于这些晦暗的事物中呢,当它们下一次经过时,就应该对它们说别了。因为应该说别了,在需要的时候不说别了是愚蠢的。如果人们是从往昔的光亮中去思考影像,那就没什么遗憾了。但是人们几乎不去想,将用什么想呢?我不知道。经过的还有人,他们是不容易清楚地区分出来的。这就是让人泄气之处。我就是这样看到 A 和 B 缓慢地朝对方走去,并没意识到自己在做着什么。那是在一条赤裸得惊人的路上,我是说没有任何种类的藩篱边墙石沿，是在乡村，因为在广阔的田野上母牛在咀嚼，卧着，站着，在晚间的沉寂中。我可能有点编造了，我可能在美化，但总体是这样的。它们咀嚼，然后吞咽，然后在短暂的停顿后毫不费力地去吃下一口。脖子下的筋在晃，两颌开始嚼磨。这也许只是些记忆。那条路坚硬发白，把柔软的牧场切开，沿着冈峦的起伏升降。城市离得不远。那是两个男人，不可能弄错，一个矮一个高。他们从城里出来，先是一个，再是一个，那第一个，疲倦了或是想起了一桩必须去做的事情，于是朝回走去。空气很凉爽，因为他们穿着大衣。他们很相像，但并不比其他人更相像。先是一大片空间隔开他们。他们是不会看见彼此的，即便抬起头来用眼睛搜寻，由于这一大片广阔的空间，也由于地势的起伏，路面形成波浪状，一点儿不深，但是足够了，足够了。但那一刻来临了，他们一起快步走下同一处凹谷，而就是在这一凹谷里，他们最终相遇了。说他们认识，不，什么也不能证明这点。但可能是由于他们的脚步声，或者是被某种幽暗的本能警醒，他们抬起头互相打量，在充裕的十五步之内，在面对面停下来之前。是的，他们没有交臂而过，而是小站片刻，离得很近，就像在乡村，晚间，一条荒凉的路上，两个不理会对方的散步者经常做的那样，没有任何奇特之处。可是他们也可能认识。不管怎么说，他们现在相识，而且我想将来准会认识对方，并会互相致意，即使在城市里的最深处。他们转向大海，海在东边的远处，在田野之外，朝着发白的天空上升，他们交谈了几句。然后各自重新上路，A 朝着城市，B 穿过他好像不太认识或根本就不认识的区域，因为他迈着并不坚定的脚步，不时停下来观望四周，就像他要在头脑中确定方位标志一样，因为也许有一天，他得再回来，谁知道呢。那些他带着恐惧进入的隐伏着危险的山丘，毫无疑问他只是从远处看到过，可能是从他房间的窗口，或是在悲伤的一天从一处古迹的顶上，因为无事可做而想从高度上寻求慰藉，他花了三个或者六个便士攀爬螺旋状的楼梯一直来到平台上。从那儿他什么都看得见，平原，大海，还有那些被某些人称为山的相同的丘峦，在晚间的光芒中，有些地方是靛蓝色的，一处连着一处，密密匝匝，一望无际，它们被看不见却能被人猜到的山谷所穿越，因为色调的渐弱和一些难以言说或难以想象的迹象。但是人们不能猜见所有的丘峦，即使是从这一高度，人们常常只能看到一个山坡，一个脊顶，然而事实上有两个，两个山坡，两个脊顶，被山谷隔开。但是这些丘峦，他现在认识了,就是说他认识得清楚些了,万一他再一次从远处观望,我想将是用另外的眼睛,而且不仅如此还有那内部,所有那永远看不到的内在的空间,头脑心脏和其他,在那里感情与思想控制着它们喧嚣的洞穴,以另一种方式很好地排列着。他看上去很老,让人心生怜悯的是看到他只身独行在给予的这么多年,这么多日与夜之后且不说那个在降生时甚至在降生前就升起的喧声,那个无法餍足的怎么办?怎么办?,时而低如耳语,时而清晰得像旅店主人说出的喝什么饮料?然后经常膨胀成吼叫。为了终究一人独行,或几乎一人独行,在陌生的路上,在夜幕降临时,手持棍杖。那是条长棍,他用来向前行,又用来防身,在必要时,对付野狗和偷食庄稼的动物。对,夜幕降临了,而这个男人是纯真的,非常纯真,他什么都不怕,不,他怕,但他不需要害怕,人们没有什么可以反对他的,或是有得太少了。可是这个,他显然并不知道。我自己,只要思索思索,我也不知道。他感到自己被威胁,他的身体,他的理性,可能是这样,尽管他很纯真。纯真在这里做什么用呢?它与那不胜枚举的狡猾的因子有什么关联呢?这不清楚。他戴着一顶尖尖的帽子,我觉得好像是这样。我对它感到吃惊,我记得,因为我恐怕就不会对,比方说，一顶鸭舌帽，或一顶圆顶礼帽感到吃惊。我看着他远去，他被他的不安侵袭，其实这不安不一定是他的，而他的不安只是其中的一部分。那是，谁知道，我的不安侵袭了他。他没有看见我。我栖身于比最高的路平面还要高的水平上，并且贴在一块与我同样颜色的岩石上，我是说灰色。他瞥见岩石了，这是极可能的。他向四周张望，我已经指出了，就像要在记忆中刻下沿路的特征一样，他一定看见了那岩石，正是在它的阴影中我蹲着隐藏着，以贝拉夸，或索尔代洛的姿势，我不记得了。但是一个男人，尤其是我，不成为组成路的特征的一部分，因为。我是说如果异常偶然地有一天他得重新经过这里，在很长一段时间之后，败下阵来，或是为寻找一件被遗忘的东西，或为烧毁某样东西，他将用眼睛搜寻的是那座岩石，而不是出于偶然在其阴影之下的这个移动的转瞬即逝的物体，这个还活着的血肉。不，他肯定没有看到我，以我列举的原因，也因为他看上去心不在焉，这个晚间，他注视的不是活体，而是固定不动，或移动得那么缓慢以至于会引起一个孩子的嘲笑的东西，且不说是引起一个老人的嘲笑。无论是何种情况，我是说他看到了我或没看到我，我重复一遍我看着他远去，（我）被诱惑着想站起来跟上他，也许有一天会追上他,为了进一步认识他,为了我自己不那么孤独。尽管灵魂的冲动把我拉向他,但在这松紧线的另一头,我看不清他了,由于天色昏暗,还有地形,他时不时地在大地的褶痕里消失,又在更远处重新浮现,但是我更相信是由于另一些东西它们召唤我,我的灵魂也同样把我依次拉向它们,胡乱地,疯狂地。我自然说的是露水下泛白的田野,动物为了夜居不再在那里游荡,还有我不置一词的大海,越来越尖锐的峰脊的顶线,我不用看就感觉到第一批星星的颤抖的天空,我放在膝盖上的手,特别是另一个散步者,A 或 B,我不记得了,他乖巧地回家了。是的,也朝向我的手,我的膝盖感觉到它的颤抖,眼睛只能看到手腕,青筋暴露的手背和第一节指骨的白色。但我现在想说的不是它,我是说这只手,每件事有轮到它的时候,而是朝着他刚刚走出来的城市前行的 A 或 B。但实际上,他的步态是特有的都市人的吗?他光着脑袋,穿着草绳底帆布鞋,抽着雪茄。他以一种懒洋洋的游逛的样子行走,不管理由对否,我觉得很生动。但这一切既不证明什么,也不否定什么。他也许是从很远的地方来的,甚至是从岛的另一端,他也许是第一次向这座城市走去,或是在远离了很久以后回到那儿去。一只小狗跟着他,一只博美犬我认为，但我认为不是。在那一刻我都不能肯定而即使现在也不能，尽管我稍微思索了一下。小狗不好好跟着他，以博美犬的方式，停下来，一圈圈地打转，又不理睬了，我是说放弃了，然后又在稍远的地方重新开始。便秘对博美犬来说是身体健康的标志。在某一时刻，事先定好的时刻您可以这么说，我愿意如此，这位先生返身回来，把小狗抱在怀里，从嘴里拿掉雪茄，把脸埋在小狗橘黄色的浓密的毛里。这是一位先生，看得出来。是的，那是一条橘黄色的博美犬，我越想越肯定。但是。然而这位先生真的是从远方来，光着头，穿着绳底的帆布鞋，嘴里含着一支雪茄，身边跟着一只博美犬吗？难道他的样子不是更像从城墙里出来，在一顿饱餐之后，为了散散步也为了遛遛狗，一边梦想一边放屁，像那么多的城里人天气好的时候所做的那样吗？而那支雪茄难道事实上不是根短管烟斗，那双草绳底的帆布鞋不是被尘土弄白了的带钉的皮鞋，而那条狗不是人们为了不使它成为流浪狗而捡起来抱在怀里？出于同情或是因为人们孤独地流浪了太久，没有任何同伴，只有那些无穷无尽的路，那些沙子、卵石、沼泽、欧石楠，那个建立起另一种正义的自然界，那一个每隔一大段距离就会有人想上前与之交谈，拥抱它，为它挤奶,给它哺乳的同囚,而当人们与之相遇时,却眼神阴郁,害怕它不让人亲近。直到那一天,再也受不了了,在那个对您来说没有臂膀的世界里,您抓住那些疥疮累累的狗搂在您的臂膀里,抱着它们要多久就多久,为了使它们爱您,为了使您爱它们,然后又扔掉它们。他也许正是这种情况,无论外表如何。他消失了,冒烟的东西拿在手里,头垂在胸口前。我解释一下。物体的消失是在我移开目光之前发生的。紧盯着它们直到最后一刻,不,我做不到。从这种意义上来说他消失了。眼睛看着别处,我想着他,我告诉自己,他缩小,缩小。我了解自己。我知道我可以追上他,我这样肢体残缺的。我只要想要就行。但是不,因为我想要。站起来,到路上去,一瘸一拐地冲过去追他,呼着叫他,没有什么比这更容易了。他听到我的喊声,转过身,等着我。我整个人朝着他,朝着狗,气喘吁吁,在我的双拐之间。他有点儿害怕,有点儿怜悯我。我还说得过去地令他恶心。我不好看,不好闻。我要做什么?啊这音调我熟悉,由恐惧、怜悯、厌恶组成。我要看这狗,这男人,从近处,要知道他抽的是什么烟,查看他的鞋子,记下别的迹象。他挺好,对我谈这谈那,告诉我一些事情,他从哪儿来,到哪儿去。我相信他,我知道这是我唯一的机会让我——我唯一的机会，我相信所有他对我说的,在我漫长的一生中,我太节制自己了，现在我吞食这一切，贪婪地。我需要的是故事，我花了很长时间才明白这点。可再说我也并不确定。就这样，我盯在一些事情上，我知道有关他的一些事，一些我不了解的事，它们曾萦绕着我，一些我甚至没有因之痛苦的事。什么话。我甚至得以知道了他的行业是什么。我对行业是那么感兴趣。可以说我极尽可能地不谈自己。过一会儿我会谈谈母牛，谈谈天空，您瞧着好了。可是就这样，他离我而去，他很急。他本来没有急急忙忙的样子，他优哉游哉的，我已经注意到了，但跟我谈了三分钟话后他就着急了，他得赶紧走。我相信他。所以我又重新，我不说是孤独，不，我不是那种人，但是，怎么说呢，我不知道，归还于我自己，不，我从未离开过我自己，自由，对了，我不知道这是什么意思，但这就是我要用的词，自由地做，自由地不做，自由地了解，但了解什么，可能是意识的法律，我的意识，比如当人没入水中水就渐渐上涨，那么人会做得更好，至少一样好，只要抹去文字而不是一直写到纸页的边缘，把文字堵住直到一切都洁白而光滑以至于愚蠢显露出它的真容，一个毫无意义没有出路的荒谬。那么我没有使自己离开观察的岗位,这毫无疑问是对的,至少一样好。但我没在观察而是意志薄弱地在精神中转向另一个人,那个拿棍杖的男人。随之而来的又是一阵喃喃细语。带回沉寂,那是客体的职责。我对自己说,谁知道他不仅仅是出来呼吸新鲜空气,放松一下,舒展筋骨,使脑子里的血液流向双足,以此来确保一夜好觉,快乐的晨醒,迷人的下一天。他只背着个褡裢吗?但这种步态,这不安的目光,这根大棒,人们能把它们跟所谓的遛圈联系在一起吗?可是那顶帽子,是城里人的帽子,虽然过时了可还是城里人的,一点儿小风就能把它吹好远。除非把它系在下巴底下,用一根绳子或一条松紧带。我摘下自己的帽子看。一根长带子把它,一直以来,跟我大衣的扣眼系在一起,总是同一个扣眼,不管季节如何。那么我眼睛一直看得见。知道这点挺好。我的手抓着帽子并一直握着它,我尽量使这只手远离自己并来回画着弧线。这样做时我看着大衣的卷边,看到它开开合合。我现在明白为什么我从来不在扣眼上插花,它大得足可以接纳一整束鲜花。扣眼是专为帽子准备的。帽子才是我用花装扮的对象。但我现在要谈的既不是我的大衣也不是我的帽子,否则为时过早。毫无疑问我将在晚些时候谈到它们,当涉及为我的财产编录清单的时候。除非从现在到那时之间我把它们弄丢了。但即使丢了它们也将占有一席之地,在我的财产清单中。但我只管放心,我不会弄丢它们的。还有我的双拐,我也不会把它们弄丢。但也许有一天我会扔了它们。我应该是在山顶上或一个少见的陡峰的坡上,不然我怎么能把我的目光投入那么多或近或远,或固定或活动的物体上呢。但是一处陡峰在这微微起伏的景色中做什么?我呢,我在这里做什么?这就是我们要试着弄清楚的。其实我们也不用把这些事看得太认真了。好像是,在自然界中什么都有,而各种游戏花样也充满其中。也可能我把一些不同的场合,还有时间混淆在一起了,从背景上,背景深处就是我的居所,哦,不是最最深处,是在泡沫与烂泥之间的什么地方。也许是有一天 A 在某一处,另一个 B 在另一处,然后是一个第三者,岩石和我,如此类推其他的组合物,母牛,天空,大海,山峰。我不能相信。但是我不会撒谎,我轻而易举就构想成这样。没有关系,让我们继续排下去,就好像所有的一切都涌现于同一烦恼,让它们充满,充满,直到把黑暗填满。能够肯定的是持棍杖的男人那一夜没有从那里经过,不然我就会听到。我不说我会看到,我说我会听到。我睡得很少,而且这很少的觉我也是在白天睡的。哦，不是一贯如此，在我度过的一生中，我尝试过各种各样的睡眠，但在我回顾的这一时期里，我在白天睡一小会儿，经常是，在上午。不要来跟我谈月亮，在我的夜里没有月亮，如果我有时谈到星星，那是因为不留心。然而在那一夜所有的声音中没有一个是那不坚定的沉重的脚步声，和时而敲击地面使之震颤的大头棒声。得到了证实，这是多么让人愉快的事啊，在一段多少长了些的摇摆不定的时间之后，在这些最初的印象中。毫无疑问这使死案得以缓解。我不是说以下定论的方式了结，而是说我对于——等一下——B的最初印象得以证实。因为在黎明之前那一会儿，一辆辆大马车和双轮车以雷鸣般的响声轰隆经过，载着水果、鸡蛋、黄油和奶酪到集市去，他可能在其中的一辆车上找了个地方坐下，被疲劳和气馁征服，甚至死去。或是他从另一条路回城了，如此之远以至于我无法听到发生了什么，或是从田间的小径，无声地踏着青草并鼓捣着哑然的地皮。就这样我抽出这一遥远的夜，徘徊于喃喃细语之间，那是困惑得彬彬有礼的我的，和那些那么不一样的（以至于此？）所有余下并在两次日出之间经过的事物的。没有一次有人的嗓音，是那些母牛，在农人经过之时，徒劳地叫着让人来为它们挤奶。

A与B我再也没有见过他们。但也许以后我会再见到他们。可我能认出他们吗?我肯定我没有再见过他们吗?我所说的见与再见是什么呢?沉默片刻,就像乐队指挥敲敲乐谱架,抬起双臂,在凝固破裂之前的时候。从烟、从棍杖、从肌肤、从头发、晚间、在远处、围绕着一个兄弟的欲望。我很会搞来这些褴褛衣衫,来遮盖我的耻辱。我问自己这是什么意思。但我并不总是需要。至于一个兄弟的欲望,我能说的是我在十一点到正午之间醒来(在片刻之后,我听到午祷的钟声,它召唤着对圣子降生的回忆),我下定决心去看我的母亲。为了使自己下定决心去看这个女人,我应该拥有一些有紧急特征的理由,而这些理由,既然我既不知道做什么也不知道到哪儿去,对我来说成了小孩子的游戏,独生子的游戏,把头脑装满,直到所有其他的挂虑都被驱逐,直到我突然战栗起来,因为想到我可能即时即刻被什么阻止前往,我是说我母亲的家。结果是我爬起来,调节了双拐,来到路上,在那儿我看到了我的脚踏车(瞧,出乎我的意料),它甚至就在上次我把它搁下的地方。我意识到,肢体残缺的我,在那些时日里,当我骑在车上时是带着一种幸福感的。我是这样做的。把我的双拐系在横梁上,一边一支,把我那条僵硬腿上的脚掌（我忘了是哪一条了，两条腿现在都僵硬了）扣在前轮轴心突出的地方，用另一只脚踩脚镫。这是辆无链脚踏车，轮子是灵活的，如果有这样的车的话。亲爱的脚踏车，我不想仅把你叫作车子，你被漆成绿色，像那么多与你同期的脚踏车一样，我不知道为什么这样。我很愿意再见到它。很乐意描述它。它有一个小号角或是喇叭，而不是当今流行的铃铛。操纵这只号角对我来说是真正的快乐，几乎是享受。我还会走得更远，可以说如果我得在我无穷无尽的存在过程中为那些没太弄我一身屎的事列个光荣榜的话，鸣号角的行为将占有一席可尊敬的地位。当我必须与我的脚踏车分离的时候，我就把号角摘下收藏起来。我相信我一直拥有着它，在某处，如果我不再用它，是因为它哑巴了。即使当今的汽车也没有号角，从我理解的意义上说，或很少有。当我认出一个号角，在街上，从一辆停着的汽车降下玻璃的窗口，我经常停下来去操纵它。应该用愈过去时重写所有这一切。讲述脚踏车和号角，这是多好的休息啊。不幸的是所涉及的不是这个而是那个把我生出来的那一位，从她屁股的洞里如果我记性好的话。第一次弄一身屎。我只补充一句，差不多每行一百米我都得停下来休息双腿，好腿和坏腿，还不仅是腿，不仅是腿。我不是从车座上真的下来,我叉着腿停着,两脚着地,胳膊架在车把上,头搁在胳膊上,我等着自己感觉好些。但是在离开这些迷人的景致之前,它们悬置于山与海之间,隐蔽在无风处,朝着正南带来的一切敞开,在这天谴之乡,芬芳与温暖的国度,我怨自己遮掩那呻吟里发出的可怕的叫声,它在黑夜中奔跑在麦田里,在草地上,在美丽的季节,刺耳地作响。这使我能够,更何况,知道是什么时候开始的这一非现实的旅行,是倒数第二的在那些暗淡的方式中以一个暗淡的方式,我不以其他的诉讼方式声明我开始于六月的第二个或第三个星期,那就是说在被称为我们的半球那里太阳的猛烈达到了极限而北极的光芒也来尿在我们的子夜上,一切都变得难以忍受的时刻。那就是呻吟被听到的时候。我母亲很愿意见到我,就是说她很愿意接待我,因为她已经有很长时间什么也看不见了。我将尽力平静地讲述。我们太老了,她和我,她有我的时候是那么年轻,这就使我们像一对老伙伴,没有性别,没有亲缘,却有着同样的回忆,同样的怨恨,同样的期望。她从来不叫我儿子,再说我也受不了,而叫我唐,我不知道为什么,我不叫唐。唐可能是我父亲的名字,对,她可能是把我当作我父亲了。我把她当作我的母亲,而她把我当作我的父亲。唐,你记得我救出燕子的那一天吗。唐,你记得你埋了戒指的那一天吗。这就是她跟我说话的方式。我记得,我记得,我是说我有点儿知道她在说些什么,如果我没有总是亲身参与她提及的事件,那也跟参与了差不多。我叫她妈格,当我必须给她个名字的时候。我叫她妈格,这只是我的主意,我也不知道为什么,字母格把音节妈摧毁,也就是说在它上面啐了一口,比别的字母做得更好。而在这同一时刻我也满足了自己的一个深沉的毫无疑问未曾启齿的需要,有一个妈,就是说一个妈妈,并且叫出来,高声地。因为在说妈格时得先说妈,这是必定的。而达,在我们地区,意思是爸爸。话说回来,问题对我并不存在,对这个我正在钻研,我是说钻研这个问题是叫妈,妈格或便便伯爵夫人的时期,她已经有一段长如永恒的日子聋得像只坛子了。我估计她就在裤裆里拉屎尿,但一种羞耻心使我们,在进行交谈的时候回避这一话题,我因此永远也没能确定。与其他的事相比这实在算不了什么,只是几个母羊的粪蛋隔两三天被十分节省地浇灌一次罢了。房间里是氨水味,哦,不只是氨水味,但是有氨水味,氨水味。她知道是我,我的味道。她皱如羊皮纸的多毛的老脸亮起来,她很高兴闻到我。她发音不清，在牙齿的碰击声中，多半时间她不知道自己在说些什么。除我之外的任何一个人都会迷失在这喊喊喳喳的喋喋不休之中，它只在几个短暂的无意识瞬间里停顿片刻。再说我也不是来听她絮叨的。我以轻敲她的脑壳的方式来跟她交往。敲一下意思是是，两下是不，三下我不知道，四下钱，五下别了。我很费力地为她残破狂乱的智力编这套代码，但我成功了。让她去混淆是，不，我不知道和别了吧，对我都一样，我也弄混。但她把四下敲击与别的东西联系起来而不是与钱，应该不惜任何代价防范的就是这个。所以在那个训练时期，我在她脑壳上敲四下的同时，把一张银行的钱票塞到她的鼻子底下或嘴里。我多么幼稚啊！因为她看上去丧失了，如果不是绝对的度量概念，至少是数出二以上的能力。从一到四，对她来说太遥远了，您懂吗。到第四下的时候她以为只到了第二下，前两下在她的记忆中完全抹去了，就像它们从未被感觉到一样，尽管我不十分明白一个从未被感觉的东西怎么会从记忆中抹去，但这经常发生。她一定以为我对她总是说不，而什么也不比我的意图走得更远。弄清了这些逻辑后我寻找，并最终找到了，一个更有效的在她的意识中嵌入钱的观念的方法。这就是取消我食指的四下轻敲而代之以一下或数下

（根据我的需要）的拳头的击打，在她的颅骨上。这，她懂了。再说我也不是为钱而来。我从她这儿拿钱，但我不是为这而来的。我并不太怨她，我的母亲。我知道她为了不要我做了一切，显然除了最根本的，如果她始终没能去掉我，那是因为命运给我安排了茅坑之外的另一处坑穴。但用意是好的，这对我就够了。不，这对我不够，但我对此表示感激，对我母亲，对她为我做出的努力。我原谅她在头几个月的时候有点儿晃动了我而且又把我漫长的历史中唯一的一段还说得过去的日子弄糟。我还感激她没有开始，鉴于我的例子，或适可而止。如果有一天我必须为我的生活寻找一个意义的话，谁知道呢，那我首先得从这方面挖掘，从这个每胎一崽的可怜婊子，从我这个孬种中的最后一个这边，我还自问到底是哪一种孬种。我补充这点，在回到事件中来之前，因为这确实可被称为事件，在那个遥远的夏日午后，跟那个又聋又瞎，又残废又疯癫，她叫我唐我叫她妈格的老女人，与她单独在一起，我——不，我不能说。就是说我可以说但是我不说，是的，我很容易说，因为这不是真的。我看她是什么样的？总是一个头，有时候有双手，很少有胳膊。总是一个头。被寒毛，皱褶，脏物，口水遮盖。一个使空气昏暗的头。

看并不重要，但这是个小小的开始。是我从枕头底下拿出钥匙，从抽屉里拿钱，又把钥匙放回枕头底下。但我不是为钱而来的。我相信有一个女佣每星期都来。有一次我把嘴唇，模糊地，急促地，放在这颗灰白干瘪的小梨上。呸。这使她快乐吗？我不知道。她的咕噜停顿了片刻，又重新开始。她一定自问发生了什么。她可能对自己说呸。我闻到一股要命的味道。这准是从肠子里发出的。古老的香气。哦，我并不指责她，我自己也没有散发出阿拉伯的芬芳。我描绘一下房间吗？不。可能以后会有机会。当我在其中寻找庇护，穷途末路，厚颜无耻，尾巴缩在屁股里的时候，谁知道呢。好。现在我们知道要去哪儿，走吧。在最初的时刻，知道要去哪儿，这可真好。这几乎去掉了您要去的渴望。我分心了，这很少见，因为难道还有什么使我分心的东西吗，至于我的动作，那就比平时更模糊不定了。夜一定使我疲劳了，总之使我虚弱，而且太阳，在东方越攀越高，在我睡觉的时候，毒害我。在闭上眼睛前，我真应该把山岩放在太阳与我之间。我混淆东与西，还有两极，我很乐意颠倒它们。我没在我的盘子前面。它很深，我的盘子，一只汤盘，我不在这只盘子前的时候是罕见的。这就是为什么我要指出这点。然而我毫无障碍地走了几英里，就这样到了城根下面。在那儿我按照规定，下了车座。是的，进出城市的时候，治安机构要求骑自行车的人下座，汽车高速行驶，马车缓步而行。这一规定的理由我认为是，源于这座城市的所有入口的通道，当然还有出口的通道，因巨大的拱门，毫无例外地变得狭窄而阴暗。这是一个很好的规定，我悉心遵守，尽管我同时又拄拐又推车地往前行走好不艰难。我尽力而为。应该考虑得很周到。就这样我的脚踏车和我，我们越过了这一困难的关口，在同一时刻。但到了远一点儿的地方我听到招呼。我抬起头看到一个警察。这是一种简略的说法，因为只是在晚些的时候，以归纳或演绎的方式，我不再知道了，我才明白了那是什么。您在这儿做什么？他说。我习惯于这一提问，我马上听懂了。我休息，我说。您休息，他说。我休息，我说。您愿意回答我的问题吗？他高声说。这就是经常发生在我身上的，当我被逼入虚构症时，我真诚地相信我回答了人们向我提出的问题，而事实又远非如此。我不再重复这场曲曲折折的对话。我终于明白了我休息的方式，我休息时的姿势，在我的脚踏车上叉着双腿，胳膊架在车把上，头搁在胳膊上，等待着我不再知道的什么，秩序，羞耻。我适度地支出双拐，冒着被人议论纷纷的风险,由于我的残疾,它迫使我以所能够的方式而不是所应有的方式休息。我相信我明白了不是有两个法律,一个针对健康人,另一个针对残疾人,而只有一个,在它面前富人穷人,年轻的年老的,幸福的忧伤的都得屈从。那是个能说会道的人。我注意到我并不伤心。我刚说了些什么!您的证件,他说,我片刻之后才明白。可是不,我说,可是不。您的证件!他大喊。哦,我的纸①。然而我身上唯一的纸,是一点儿报纸,用来擦屁股的,您明白吗,在我去厕所的时候。哦,我不是说我每次去厕所的时候都擦,不,但我喜欢能够这样做,如果情况需要。这是很自然的,对我来说。我惊慌失措地从口袋里掏出这张纸,伸到他鼻子底下。天气很好。我们走上阳光灿烂、行人稀少的小路,我在两拐间蹦跳,他小心翼翼地推着我的脚踏车,用他那只戴白手套的手。我不——我不觉得不幸。我停下片刻,抑制住自己,抬手碰一下帽子的圆顶。它发烫。我感觉到在我们经过的时候朝我们转过来的愉快而平静的脸,男人的,女人的,孩子的脸。我好像听到,在某一时刻,一段远方的音乐。我停下来,为了细听。走,他说。听,我

---

① 在法语中,"证件"与"纸"是同一个词。

说。走，他说。我不被允许听音乐。那样会使路人聚集过来。他在我背上击了一下。我被触碰了，哦，没触碰到皮肤，但不管怎么说，我的皮肤感觉到了，透过层层遮盖物，那个坚硬的男人的拳头。我一边挪动脚步，一边在这个黄金时间里给予自己最好的东西，就像我是另一个人一样。正是休息的时候，在上下午的工作之间。那些可能是最明智的人躺在小公园的广场上或坐在自家门前，品味着正在流逝的靡靡倦意，忘却了近前的烦恼，对亲近的人也无动于衷。另一些人则恰恰相反，抓紧时间制订计划，脑袋托在双手中。在这些人中有没有一个想处于我的位置，来感觉一下我是多么，在这个时刻，与我看起来不一样，这不一样里有怎样的力量，能使绷紧的锚缆断裂。这是可能的。是的，我朝着这虚假的深处坠去，以虚假的沉重而安详的步态，扔掉我所有的陈年毒药而投身于这深处，同时知道我不冒任何风险。在蓝天之下，在警卫眼前。忘了我的母亲，从行动中解脱出来，融入别人的时刻，对自己说暂缓，暂缓。到了警察局，我被引到一个令人吃惊的官员面前。他身着便服，上身只穿着衬衫，仰靠在沙发里，脚搁在办公桌上，头戴一顶草帽，从嘴里拿出个纤细而有弹性我认不出是什么东西的物件。这些细节，在他打发我走之前,我有工夫记了下来。他听着下属的报告,然后向我提问,他的语气,依我看来,从惩罚人的观点上说,越来越有待于改善。在他与我的问答之中,我指的是那些值得人重视的问答中,充满了多多少少长而喧嚣的间隔。我不习惯人们要求我什么,当人们要求我什么的时候,我得花一些时间来了解那是什么。我的错误在于,我不是安安静静地思索我所听到的,我听得非常好,因为我的听觉很敏锐,尽管它已经陈腐,总是匆匆忙忙地乱回答,害怕我的沉默会引起问话者的愤怒。我很胆小,我整个一生都是在恐惧中度过的,恐惧挨打。而辱骂,谩骂,我都能轻易地忍受,可拳打脚踢我从未习惯。这真怪。甚至有人朝我啐唾沫也使我痛苦。但是当人们对我温和的时候,我是说当人们抑制自己不对我粗暴的时候,我到头来却很少满意。然而这位警察署长只满足于以一把圆柱形的尺子威胁我,以至于他很容易就弄明白了,一点一点地,我没有他所理解的证件,我也没有职业,没有住所,我一下子想不起我姓什么了,我去母亲家,靠着她的养活我才得以苟延残喘。至于后者的住址,我不知道,但如何前往我知道得很清楚,即便是在黑暗之中。哪一街区?有屠宰场的那个,我的老爷,因为从我母亲的房间,透过紧闭的窗户,我曾听到过牛的吼叫，比她的咿咿呀呀更强，那些猛烈的哞哞咆哮，嘶哑颤抖，不是牧场上的牛的，而是城市里、屠宰场和牲口市场上的牛所发出的。是的，思索起来，说我母亲住在屠宰场附近，可能有点儿过头了，因为她同样有可能住在牲口市场附近。镇静些，警察署长说，那是同一个街区。沉默紧随着这亲切的话语，我利用这片刻转身面对窗口，什么也没真的看见，因为我闭着眼睛，只朝着那蔚蓝金黄的温柔呈现脸庞和喉部，意识也是一片空白，或几乎如此，因为我问自己在这么长时间的站立之后，是否想坐，而且我记起我在这一问题上弄清的事实，明白坐的姿势已经不属于我了，因为我的一条腿又短又硬，对于我只存在两种姿势，垂直的，在两拐间放松，站立着躺着，和水平的，平倒在地。尽管如此，坐的欲望时不时地来，从一个逝去的世界里朝我袭来。我不是总能把持住，尽管我经验丰富。是的，这一沉积物我的意识一定感觉到了，它运动着，不知道是以怎样的方式，就像水注底层细小的沙砾，正当我的面部与我巨大的喉结上压着美妙的天空和夏日的气息的时候。突然我记起了我的名字，莫洛伊。我叫莫洛伊，我喊出来，不假思索地，莫洛伊，它片刻间闪回到我的记忆里。没有什么强迫我提供这一消息，但我提供了，希望能让人高兴。人们没让我脱帽，我自问为什么。那是您妈妈的姓，警察署长说，这应该是位警察署长。莫洛伊，我说，我叫莫洛伊。这是您妈妈的名字吗？警察署长说。怎么？我说。您叫莫洛伊，警察署长说。对，我说，我刚想起来。那您妈妈呢？警察署长说。我没有领会。她也叫莫洛伊吗？警察署长说。她叫莫洛伊吗？我说。对，警察署长说。我思索。您叫莫洛伊，警察署长说。对，我说。那您妈妈呢？她也叫莫洛伊吗？我思索。您妈妈，警察署长说，她叫——让我想一想！我叫起来。最终我以为应该是这样。好好想想，警察署长说。妈妈叫莫洛伊吗？没错。她应该也叫莫洛伊，我说。有人把我带到我认为是拘留厅的地方，在那儿人们叫我坐下。人们给我解释。我简言概之。我得到许可，如果不是躺在一条长凳上，我至少可以站着待着，背靠着墙。大厅里很暗，各种各样的人匆匆忙忙地朝着各个方向走，坏人，警察，司法人员，神甫和记者，我估计是。这一切很暗，昏暗的形象拥挤在一个昏暗的空间里。人们并不注意我，我呢，我对此回应得很好。然而我怎么能知道他们不注意我，我又怎么能回应他们呢，既然他们不注意我？我不知道。我知道如此并回应他们，就这样。可是突然在我面前出现了一个又高又胖、身着黑色或更近于淡紫色衣服的女人。我如今还自问这是否是个社会福利人员。她朝我递来满满一碗淡灰色的汁液，那该是加了糖精奶粉的绿茶，托在一只跟碗不成套的托盘里。这还不是全部，在碗与托盘之间摇摇欲坠地立着一大片面包干，因此我带着某种焦虑，情不自禁地说，要掉了，要掉了，好像掉不掉有什么重要似的。片刻之后我自己拿着，在我哆哆嗦嗦的两手间，这一小堆混杂摇晃的物体，硬的、软的和液体的彼此相邻，我还没来得及明白这一传递是怎样实施的。我告诉您一件事，当社会福利人员为您提供，无偿地，免得您昏厥过去的什么东西的时候，这对她们是种偏执，您只管退缩好了，她们会追您到世界的尽头，令人作呕的东西仍托在手里。救世军也好不到哪儿去。不，据我所知，没有什么能够招架慈善行为。您低下头，伸出颤抖慌乱的双手，说谢谢，谢谢夫人，谢谢我的好夫人。一无所有的人是无权拒绝残渣的。液体满溢出来，碗晃动着，还有牙齿的咯咯声，不是我的牙，我没有牙，淌着水的面包越来越倾斜。一直到那个时刻，焦虑达到顶点，我把一切都扔到远离我的地方。我没有松手让它们自然落下，而是两手抽搐地一推，把它们投掷在地上或是墙上，摔个粉碎，尽我体力所能扔到离我最远的地方。我不说接下来发生了什么,因为我腻烦这个地方,我要到别处去。当有人告诉我可以自行安排的时候,下午已经持续了好久了。我被忠告今后要改进举止。我认识到自己的错误,了解了我被逮捕的原因,对我在审讯中表现的不合规范的行为有所感触,我很吃惊这么快就重获自由了,如果真是自由的话,甚至不存在被批准的问题。难道我有,我还不知道,一个上层的庇护者吗?我把这一概念,在不知不觉中强加给了警察署长吗?有人得以找到我的母亲并从她那里,或从那个街区的别的人那里,得到了对我的部分话语的证实吗?人们认为对我进行轻罪起诉是没有必要的吗?以系统的方式处罚一个像我这样的人,是不合适的。这时有发生,但是明智的人不这样做。更可取的是让警探继续进行下去。我不知道。如果携带身份证是必需的,那他们为什么不坚持要我持有呢?因为这得花钱而我没有钱?如果是这种情况,他们不是会扣下我的脚踏车吗?而没有法院的扣押令,显然是不会的,所有这一切是让人难以理解的。可以肯定的是,我再没用这种方式休息,两只脚猥亵地搁在地上,胳膊架在车把上,胳膊上是懒散的直摇晃的头。这其实是个令人伤心的场面,并且是个令人伤心的例子,对于都市人来说，他们实在需要鼓励，在艰苦的劳作中，需要在他们周围只看到力量、喜悦和胆量的表示，否则他们在一整天结束的时候，会瘫倒，会在地上打滚。人们只要教我良好的行为是由什么组成的就行了，使我在我身体力所能及的范围之内行为良好就是了。还有，难道我停止越变越好了吗，从这一观点来看，因为我——我曾是聪明而有活力的。至于说到好的意愿，我可是满满充溢着焦虑不安的人的那种过火的好的意愿。以至于我那个可行姿态的宝库不停地丰富着，从我蹒跚学步之时一直到我那最后几步，在去年走完的。如果说我的举止一直像猪，那也不是我的错，是我上面人的错，他们只在细节上更正我而没有向我显示系统的精华，就像在盎格鲁-撒克逊的大院校里所做的那样，也没有向我显示那些原则，而正是它们导致了文雅的举止和那不会搞砸了的，从原则那里过渡到举止这里的，并且可由一个特定的姿势追回到本源的方法。这本可以使我，早在大庭广众面前展示我那些只因身体方便而做出的举止之前，比如手指伸进鼻孔，手放在睾丸下面，不用手绢就擤鼻涕，还有走到哪儿尿到哪儿，等等，在此之前就能对那些建立在理性理论上的首要规则进行参照了。是的，我在这方面只有不良的亲身获得的观念，这又一次说明在大部分时间里，我是在黑暗之中，而且整个世纪以来我所进行的观察，尽管是在有限的空间内，也足以使我对良好教养的基础产生怀疑，因此我陷入更深的黑暗中。但只是在我眼睛看不见了以后我才想到了这些事和其他的事。我是在自己腐烂的寂静中想起这一漫长而混乱的心潮的，我的一生就是它，我审判它，就像人们说的上帝将审判我们，并且是以同样的鲁莽。腐烂也是生，我知道，我知道，不要劳累我，但在腐烂中人不总是完整的。况且从这一生命中，出于善意，我有一天也可能会与您交谈，在那一天我将知道以为知道我不做任何事只是存在着，而且没有样子没有停留处的激情会吃了我，一直吃到腐烂的肉里，知道这个我什么也不知道，我不做别的只是喊叫，多多少少高声地，多多少少坦率地。那么我们喊叫吧，这应该让人舒服。对，让我们喊叫吧，这一次，然后可能再有一次。让我们喊叫那倾斜的阳光满满正对着警察局白色的正面。人们会以为是在中国。一个复杂的影子勾画在墙上。是我跟我的脚踏车。我玩了起来，挥舞摇晃我的帽子，在自己面前来回摆弄脚踏车，往前，往后，转弯。我盯着墙。人们从带栏杆的窗口看我，我感觉到他们的目光。门口的警卫叫我快滚。我一个人能安静下来的。影子到最后并不比身体更有趣。我请求门卫可怜我,帮帮我。他没懂。我后悔没吃福利机构提供的便餐。我从衣袋里摸出一块石子吮吸。石子被我吮吸得,被暴风雨冲刷得很光滑。嘴里含一块溜圆光润的小石子,这使人镇静,凉爽,去饥,解渴。门卫朝我走来,是我太磨蹭了使他不快。人们也看着他,从窗口那儿。有人笑出来。我也一样有人笑我。我两手抓着那条坏腿使它越过车梁。我出发了。我忘了要去哪儿。我停下来思索。骑车的时候是很难思索的,对我来说是这样。当我想边骑车边思索的时候,我就会失去平衡摔下来。我用现在时叙述,当说到过去的时候,用现在时叙述是如此容易。这是神话现在时,您别在意。当我记起这不是一件该做的事的时候,我已经蜷缩在我那凝滞不动的皱巴巴的衣服里了。我重新上路,对这条路我一无所知,作为路,它只不过是一个或浅或深,或均匀或不平的表面,但总是亲切的,好好想想的话,还有那亲切的什么东西流淌的声音,在天气干燥的时候一阵灰尘扬起向它问候。就这样,我不记得出了城,就到了运河畔。运河穿过城市,我知道,我知道,甚至共有两条。但这篱墙,这田野?别慌,莫洛伊。突然我看到,僵硬的腿是我的右腿,在这一时期。正当我对长长纤道感到烦心的时候,我看见几只套在一起的小灰驴朝我移动过来，在运河对岸，我听见生气的叫喊和沉闷的鞭声。我一只脚着地，为了看清楚驶来的平底驳船，它行驶得如此缓慢，水面都没起波纹。货船上载着木料和铁钉，一定是去某个木工厂的。我的目光钩住了一头毛驴的目光，我垂下眼睛去看它纤弱勇敢的细碎脚步。船夫一只胳膊肘支在膝盖上，手托着头。每吸三四口烟，他也不把烟斗从嘴里拿出来，就往水里啐一口。太阳在地平线那儿散发出硫黄磷红的颜色，我是朝着那些颜色走去的。到最后我下了车座，跳跃到沟沿里，我在我的脚踏车旁躺下来。我挺直了躺着，两臂交叉在胸前。白色的山楂花枝朝我垂下来，可惜我不喜欢山楂花的味道。沟里的草又厚又高，我摘掉帽子，把郁郁葱葱的长草梗拢到脸周围。这样我就闻到土地了，土地的气息就在草里，我的手在脸上方编结着草，这样我什么都看不见了。我也吃了点儿草。我的记忆恢复了，就像我那会儿记起自己名字时一样是以难以理解的方式恢复的，我本是在正在消逝的这一天的上午出发去看我的母亲的。理由是？我忘了。我本来知道，我以为我知道，我只要重新找回它们，为了飞到我母亲那儿，乘着必然的母鸡的翅膀。是的，在人知道了为什么以后，一切都变得容易了，一个小小的魔法。知道了是哪位圣徒,就什么都好办了,哪个傻子都会磕头。说到细节,要是人们对细节感兴趣的话,那也不用绝望,最后人总能敲到正确的门,用正确的方法。只是从整体上看来,好像并不存在着一本魔术书。可能并没有整体,有的话也是身后的。给死人的生命找镇静剂可不需要什么机智。在这种情况下,我还等什么,给我的生命驱邪?它来了,它来了,我从这里听到了大声叫闹,它会完全减弱的,尽管不是我发出的。在等待的时候,人们知道自己是死者没有用,因为人们不是死者,还在扭动,头发还在长,指甲在变长,肚肠在排空,殓尸人全都死了。有人拉上了窗帘,可能就是自己拉的。那些人们百谈不厌的苍蝇在哪儿?人们承认,死去的不是自己,而是所有其他的人。那么站起来去母亲家,她自认为活着。这就是我的印象。但是现在我得从沟里出去。我很乐意消失在这里,在雨水的作用下越陷越深。会有一天,或在类似的忧郁中,我肯定还会回来,为此我对我的脚表示充分信任,就像我肯定有一天会再找到警察署长和他的助理们一样。如果,变得太厉害认不出他们了,我没有明确地说那是同样的一些人,但您不要弄错,他们将是同样的,不管怎么变。因为活生生地描述一个人,一个地点，一个小时，但我不想冒犯谁，接下来又不再使用了，这将是，怎么说呢，我不知道。不想说，不知道想说什么，不能相信想说，总是说或几乎是，这就是在编撰的热情中，不能失去视点的重要性。这一夜与另一夜不一样，如果一样我会知道。因为这一夜，我在运河畔度过的夜，当我试图去想的时候我什么也想不起，不是真正的夜，只有莫洛伊在沟里，还有完全的寂静，还有从我闭着的眼皮上那小小的夜生出明亮的斑点，熊熊燃烧，旋即熄灭，一会儿空空荡荡，一会儿人影幢幢，好似圣人污物的火焰。我说这一夜，但是也可能有许多个。让我们泄露真情吧，让我们泄露真情吧，靠不住的思想。但是早晨，一个早晨，我重新发现，早上已经过了很久，我按照习惯，眯了一小觉，空间重新变得有声有色，牧羊人在看着我睡觉，在他的眼睛下我睁开眼睛。在他旁边有条气喘吁吁的狗，它也看着我，但没有主人那么专注，它时不时地停止看我而去狂咬自己的皮肉，狗豆子正在那儿作怪。它会把我当作一只陷在荆棘丛里的黑羊并且等着主人的命令把我弄出去吗？我想不会，我闻上去不像羊，我倒是想闻上去像绵羊，或像公山羊。在我醒来时，最先呈现于我眼前的事物，我挺清楚地看见，并且了解了，当它们不太难懂的时候。然后在我的眼睛和头脑里有一注细雨落下,仿佛是从莲蓬头里喷出来的。重要的就是这个。我马上明白了一个牧羊人和他的狗在我的面前,应该说是在我的上方,因为他们没有离开道路。还有羊群的咩咩叫声,它们因不再受到驱赶而感到不安,我毫不费劲就辨别出来了。也就是在这个时候,言语的意义对我来说不再幽深,以至于我说,宁静而自信地,您把它们带到哪儿去,野外还是屠宰场?我准是完全失去了方向感了,好像这与问题有什么关联似的,方向。因为即便他往城里去,又有什么能阻止他绕过城,或从城的另一个门出去,走向安宁的牧场,如果他离开城,那也并不意味着什么,因为不是只在城里才有屠宰场,而是到处都有,乡村也是,每个屠夫都有自己的屠宰场,并根据自己的需要,有权进行宰杀。但是或是他没懂,或是他不愿回答,他没有回答,而是一言不发地走了,我是说对我一言未发,因为他冲狗说话,狗专注地听着,竖着两只耳朵。我跪起来,不,这不行,我站起来望着这一小支旅队离去。我听到他吹口哨,那牧羊人,我看到他把棍子抡得团团转,那狗绕着羊群忙着,没有它,羊群准会掉到运河里去。这一切都是透过一层闪烁的尘埃,并且不久以后也就是透过这层薄雾,它每天把我交给我自己，为我遮住剩下的，为我遮住我自己。咩咩羊叫越来越弱，或者是羊群不那么不安了，或者是因为它们远去了，也可能是我听得不如刚才那么清晰了，这使我惊讶，因为我的听觉总是相当敏锐的，只在凌晨时稍稍有些钝弱，如果我曾经几个小时什么也没听到，那是因为我对一切无知无觉，或是由于我周围的一切变得确实沉寂无声，这时有发生，而对于正义的人们而言，世界的喧嚣永不止息。就这样开始了第二天，如果这不是第三天或第四天的话，这是一个坏的开端，因为我陷入持续的困惑中，它与羊群的目的地息息相关，羊群中还有幼羔，我常常自问它们是到了公共牧场还是倒下了，头颅粉碎，细细的腿擦伤了，先是跪下，然后毛茸茸的肋部着地，在屠斧之下。但它们也有益处，这些小小的困惑。这个乡野之国，我的上帝，到处可见四足动物。这还没完，还有马和山羊，我仅仅提及它们，我感觉到它们的窥视，为了横冲进我的道路。我不需要这个。但是我并没失去我当下努力的目的，知道要尽快会合我的母亲，站在沟里，我召集我曾拥有的要去的好的理由，一刻也不耽误。如果我有能力不假思索就做很多事，事情做了以后才知道要做什么，那更有甚者，去我母亲那儿可不在此列。为此，我的脚，您看，没有更高处的命令是从来不会带我去母亲家的。天气很美好，很美好，除我之外的任何一个人都会因之喜悦的。但是我没有什么可因太阳而喜悦的，我也避免这样。爱琴海人，渴望炎热，阳光，我杀了他，他杀了自己，在早早的时候，在我里面。雨日里白茫茫的影子更合我的口味，不，我表达得不好，也不是更合我的情绪，我既无口味也无情绪，我早早就失去它们了。我要说的可能是白茫茫的影子，等等，把我隐藏得更好，尽管不是使我显得特别顺眼。他不想那样也还是融于背景的，这就是莫洛伊，从某个角度来看。冬天的时候我把自己裹起来，在大衣里身上绑满一条条报纸，我不到大地苏醒，真正的苏醒，四月的时候就不把它们解下来。《泰晤士报文学增刊》的效果尤为出色，它结实无孔，久经考验。放屁不会使之破裂。您要我怎么样呢，气体无缘无故地从我的底部排出，我不得不时不时地提到它，尽管它激起我的厌恶。有一天我数了。十九个小时放了三百一十五个屁，平均一小时十六个多屁。总而言之也不算太多。一刻钟四个。这不算什么。每四分钟还不到一个。难以置信。好吧，好吧，我只是个小放屁精，我不应该说起来。数学是多么非凡地帮您认识您自己啊。更何况这一气候的问题对我毫无意义，我能适应任何气候。我只是要加一句,在这个地区清早经常有太阳,直到十点十点半,这时天会变阴,雨下下来,一直下到傍晚。太阳再出来又落下,浸透的大地闪耀一下,然后熄灭,失掉光明。我又重新在脚踏车的车座上了,迟钝的心里有几分不安,就像癌症患者不得不去看牙医一样。因为我不知道是否走对了路。对我来说所有的路都不对头是少见的情况。但是去我母亲家只有一条对的路,去她家的那条,或是去她家的那些路之中的一条,因为不是所有的路都到。我不知道是否走在对的一条上,这使我烦恼,就像这事性命攸关一样。当我在百步之遥看到熟悉的城墙突然显现的时候,您可以猜想我的宽慰。穿过了城墙,我发现自己身处一个陌生的街区,我可是了解这城的,我生在这儿,从没能走出十五或二十英里以外过,它对我是如此具有吸附力,我不知何故。因此我差点问自己,我是否真的是在正确的城里,它给予我夜晚,它把我母亲关在某处,或是因为操作的错误,我落入了一个不知名的城。因为我认识我的出生地,我从未涉足他乡。但是我仔细阅读过,那时我还会阅读,一些比我幸运的旅行者的游记,那里有跟我的城一样美丽的,或比它更美丽的城,尽管是另一种美丽。这座城,这座唯一让我了解的城,我寻找它的名字，在我的记忆里，专注地，一旦找到我就会停下，问一个刚瞧见我的路人，劳驾，先生，这儿就是 X 城吗，X 假如就是我的城的名字。这个我寻找的名字，好像是以 B 或 P 开头的，但是尽管有这一提示，或可能正是由于这一误导，接下来的别的字母都逃之夭夭了。长久以来，我的生活远离言词，您懂吗，只要我看见我的小城就够了。比方说，既然涉及的是我的城，为了不要能够，您懂吗。说出来太困难了，对我而言。同样我个人的感觉也是裹在一个常常难以穿透的匿名物里面，我们刚刚看到了我相信。就这样别的事物也是如此，它们嘲弄我的感觉。是的，即使在这一时期，一切都已经模糊不清了。波与微粒，物体的状态以无名的形式存在，反之亦然。现在我这么说，但是说到底对于那一时期，现在我又知道些什么呢，现在意义冰冷的言词像冰雹一样朝我砸落，世界也在疲倦地死去，被沉重地命名的世界？我知道言词和死去的事物所知道的，它合成一个小小的美丽的总量，有开头、中间和结尾，就像在那些好好组建的现成句子里，在腐尸漫长的奏鸣曲里一样。我说这个或那个或别的，其实并不重要。说就是编造。错的就像对的一样。人们什么也不编造，人们自以为在编造，在逃脱，其实只是在结结巴巴地背自己的功课，背着学了又忘了的被罚的作业的片段，没有眼泪的生活，正是人们为之哭泣的。然后混蛋。瞧瞧。怎么也想不起我的城的名字了，我干脆停下，在人行道边，等着过来一位样子和蔼有学问的路人，摘下帽子对他说，带着微笑，劳驾，先生，对不起，先生，请问，这城的名字叫什么？因为字一说出来我就会知道那是否是我在记忆里所寻找的字，还是另一个字。就这样我打定了主意。这一决断，是我在骑车的时候形成的，一个荒谬的厄运阻止了它的实施。事实上我所有的决断都有这一特点，它们一旦形成就会发生一个变故，使之无法实施。毫无疑问，正是因为这个原因，我如今比我讲述的那一时期更不果断，那一时期我是比较不记前车之鉴的。但是真正地说（真正地说！）我从来也没有特别果断过，我是说所谓采取果断的决定，以更适当的说法来说，是准备好低着头朝前俯冲，一直冲到臭屎堆里去，浑然不知是谁弄了谁一身屎，也不知躲在哪一边对自己有益。但是对这种准备我也很少满意，并且如果我从未完全治愈，那也不是因为我想要那样的过错。事实是，可以这样说，人们所能期望的，是在结束的时候，在后来，不那么像开头时候的自己。因为我没有在我的头脑里及时制订出一个计划，我就猛烈地撞在一条狗的身上了,我过了一会儿才意识到,并摔在了地上,比狗笨拙更比狗不可宽恕,它是被绳子牵着,没在马路上而是在便道上,在女主人的身边,步履艰难地行走着的。对不测的提防,也应该像做出决断时一样,谨慎地采取。这位夫人定是相信为了狗的安全,要防患于未然,而事实上她所做的只是向全部的自然之力挑战罢了,正如同我以疯狂的企图想弄清楚是怎么回事一样。我本该从我这一方,以我的老迈和残疾来乞怜,但我却因为要逃之夭夭而使我的处境恶化了。我马上被追赶上,被一小群性别不同年龄各异的正义伸张者,因为我瞥见雪白的胡须和天真的小脸,那位夫人来干预的时候,人们已经专注在要把我剁成肉酱的问题上了。她大体上说,她是后来告诉我的,我相信了,让这位可怜的老人安静点儿吧。他撞死了泰迪,这已成事实,泰迪,我爱它像爱自己的孩子一样,但这事并不像看起来的那么严重,因为我正要带它去兽医那儿,为了一了百了它的痛苦。因为泰迪老了,又瞎又聋,风湿病使它行动困难,它每时每会儿随地拉撒,不管白天黑夜,在花园里还是在房子里。这可怜的老人免了我一段痛苦的路程,且不说那难以支付的花销,我唯一的经济来源就是我亡夫的军人抚恤金,他为了祖国战死沙场，而他生前从未从它那儿得到过任何益处，只有侮辱与麻烦。聚集的人群已经散去，危险过去了，但夫人仍一发不可收拾。你们会说，她说，他逃跑是错误的，他该向我道歉，跟我解释。我同意。但看得出来他脑子有毛病，神志有问题，出于我们不知道的什么原因，如果知道的话，可能我们大家都会因之感到羞愧。我甚至问自己，他是否知道自己干了什么。这一单调的嗓音散发出同样的无聊与厌倦，我准备重新上路了，这时在我面前突然出现了一个必不可少的警察。他把又胖又红毛茸茸的爪子重重地压在我的车把上，我注意到了，并与夫人进行了如下的谈话。听说此人轧死了您的狗，夫人。是的，警官，那又怎样？不，我不想记述这场愚蠢的对话。我要说的只是警察最后也走了，言词并不太凶，嘟嘟哝哝的，身后跟着最后一批看热闹的人，他们不能再指望事情于我不利了。而他转过身说，把您的狗马上弄走。终于自由了可以走了，我做出动身的姿势。但是那夫人，洛伊夫人，干脆马上说了吧，或叫卢丝，我记不清了，一个索菲之类的名字，拉住我，拉住我的衣尾，说，假设一下她最后一次说的话与第一次说的话一样，先生，我需要您。毫无疑问她观察到了我的表情，这表情不禁出卖了我，我明白了，她准是自语道，他明白这个，那一定也能明白其他的事。她没有弄错，因为一段时间之后我发现自己拥有的主意或观点只能源自她，了解到撞死了她的狗，我应该帮她把狗抬回家并把它埋了，她不想对我所做的提出控告，但一个人不是总是不做自己不想做的事的，我对她很友善，尽管我的外貌丑陋，她很乐意救助我，我忘了还有些什么了。哦，对了，似乎我也需要她。她需要我，为了帮她去涂狗，我需要她为了我不知道的什么原因。她准是告诉我了，因为那里存在着一个暗示，使我不能得体地保持沉默，就像我对其他的一切保持沉默那样，我不带困窘地告诉她，我既不需要她，也不需要任何人，这可能有点儿夸张了，因为我一定是需要我母亲的，不然我为何不屈不挠地要去她那儿呢？这是众多原因中的一个，出于这些原因，我尽可能避免谈论。因为我总是说得太多或太少，这使我痛苦，我是那么热衷于真理。我不会离开这一主题，这一我肯定不再有机会重提的主题，在我好奇地注意到下面这点之前，乌云越来越密集，在我还在讲述的这个时期，我经常是，说得太多却以为说得太少，说得太少却以为说得太多。我是指经过思考，更合适地说是经过长久的思考，我言语上随即表现的过度却被证实是贫瘠的。反之亦然。奇特的逆转,不是吗,由简单的时间的过渡而完成。或者说,不管我说什么,都不够多也不够少。我不沉默不语,就是,不管说什么我都不沉默不语。绝妙的分析,愿这帮助您认识您自己并认及您的同类,如果您对自己有所认知的话。因为在说到我不需要任何人的时候,我说得并不太多,只占我本该说的,不该知道怎么说的,应该缄默的微小的一部分而已。需要我的母亲!对,确实是难以言喻的,在需要不在之处我丧失生命。所以她一定是告诉我了,我现在说的又是索菲了,那些我需要她的原因,既然我冒昧地在这一问题上反驳了她。难为自己一下,我肯定会重新找到那些原因的,但是难为,谢谢,难为我自己的不会是我。而且我受够了这条林荫道,这该是条林荫道吧,受够了这些来往的正义者,这些四处窥视的警察,所有这些脚,这些手,踩着,抬着,为了不乱打而蜷着,这些在叫喊时也很守分寸的嘴巴,这片开始漏水的天空,受够了在外面,被围住,被看见。一位先生用手杖的顶端,捅捅那条狗。那是条全黄的狗,一定是条杂种狗,我分辨不清杂种狗和纯种狗。它临终时的痛苦一定少于我摔倒在地时的痛苦。然后它就死了。我们把狗横放在车座上,不知道是怎么走的,我估计我们互相帮着,扶着尸体,推着脚踏车，往前走，穿过发出嘲笑的人群。索菲的家——不，我不能再这么叫她，我要试着叫她卢丝，简短地——卢丝的家不远。哦，它也不近，到达的时候我的体力得到了报偿。就是说我没有真正得到。人们自以为得到了报偿，但人们真正得到是很稀有的事。只因为我知道到了我就得到了报偿，我本可以再走一英里，那么我在一个小时之后才会得到报偿。人们就是如此。这座房子，我要描述一下吗？我想不。对它我没什么好说的，这就是现在我所知道的。也许以后，当我一点点深入其中的时候。卢丝呢？很难中断。我们首先很快埋了狗。是她挖的坑，在一棵树底下。人总是在树下埋狗，我不知道为什么。这说明我有自己的看法。是她挖的坑，因为我，尽管是先生，我挖不了，因为我的腿。就是说我只能用小铲挖，而不能用铁锹。因为用铁锹的时候，一条腿要支撑全身的重量，另一条腿要屈起来，又伸直，把铁锹压进地里。然而我的坏腿，我忘了是哪条了，因为直僵僵的，既不能铲也不能单独支撑全身的重量，否则我会瘫倒在地。因而可以说我只有一条腿能用，从道义上说我是单腿人，如果我被截肢到腹股沟的层次，我将会更幸福，更轻松。如果他们借此时机去掉某些睾丸我不会对他们说什么的。因为我自己的睾丸挂在一条瘦皮的顶端，在大腿的半截处晃荡，那里汲取不出任何东西了，证据是我不再想从中汲取什么了，而倒是想看到它们消失，这些对我的长期起诉中指控的反指控的证人。因为它们指责我骗了它们，却也因之从它们精疲力竭的囊袋深处祝贺我，右边的那个比左边的低，或者相反，我不记得了，这马戏团的一对兄弟。更严重的是，它们在我走路坐下的时候妨碍我，好像我有条坏腿还不够似的，还有我骑车的时候它们到处磕碰。所以我有理由消灭它们，如果我不是一想到肉体的疼痛和伤口的感染就害怕得哆嗦的话，我将亲自承担此事，用一把刀或一把修枝剪。是的，我一生都对伤口感染充满恐惧，我却从不感染，我酸性太强。我的一生，我的一生，我谈到它时一会儿像个已完结的东西，一会儿像个还在继续的玩笑，我错了，因为它同时完结和继续，但用什么时态表达呢？钟表匠在为时钟上弦之时就埋藏了它，在死去之前，扭曲的齿轮有一天将对着蚯蚓谈论上帝。但实际上我对我的睾丸一定还是有所依恋的，就像别的一些人喜爱自己的疤痕，喜爱祖母的相册一样，并不是睾丸使我不能用铁锹，而是我的腿。是卢丝在我两只胳膊托着狗的时候挖的坑。狗已经沉重冰凉了，但还没开始发臭。它很难闻，您可以说，但那是老狗的气味，而不是死狗的气味。它也曾在地上刨过很多坑，甚至可能就在这一处。就这样被埋了，没有任何种类的盒子包裹物，就像加尔都西会修士一样，但是连同牵过它的绳子和它的项圈。是她把狗放进坑里的，我因为自身的残疾，不能弯腰，也不能跪下，万一发生这样的事，忘了自己的状况，弯腰或跪下，请不要相信，那不会是我，而是另一个人。把狗扔进坑里，那将是全部我能做的事，我将很乐意去做。但是我没做。所有人们乐意去做的事，哦，不是充满激情而只是乐意，看起来没有任何理由不去做的事，人们都不做！人们不自由吗？这要研究一下。但是我对埋葬的贡献是什么呢？是她挖了坑，把狗放了进去，填上了土。我所做的全部只是旁观而已。我贡献了我的在场。就像是我自己的葬礼。它就是。那是棵落叶松。这是我唯一能断然认出的树。真奇怪她选择了，为了埋狗，我唯一能断然认出的树。绿色含水的针叶像丝一样散布着，好像是，小小的红点。狗的两只耳朵那儿叮着狗豆子，对这种事我目光敏锐，它们也随着狗被埋了。她掘好了坑以后把铁锹递给我，静默着。我以为她要哭了，这正是时候，但她相反地笑了。这可能是她哭的方式。或者是我弄错了，她真的哭了，带着笑的声音。哭与笑，我认不太清。她再也见不到她的泰迪了，她爱它像爱孩子一样。我问自己，既然显而易见她有意要把狗埋在家里，那她为什么不叫兽医到家里来就地处置狗呢。她真的是要去兽医那里吗，当她的路与我的路相遇的时候？或者她那么说唯一的目的只是要减轻我的罪恶感？上门就诊显然更贵。她把我带到客厅，给我喝的和吃的，一定都是好东西。可惜，我不太喜欢吃好东西。但我乐于喝醉。如果她生活窘迫，那可看不出来。这种困窘，我马上感觉得出来。看到我端坐着很艰难，她推来一把椅子给我搁那条硬腿。在服侍我的同时她侃侃而谈，我只能领会百分之一的含义。她亲手摘下我的帽子，拿着它离去，一定是把它挂到哪儿的衣钩上去了，松紧带绷断的时候好像吓了她一跳。她有只鹦鹉，非常漂亮，有最被珍爱的颜色。我了解它甚于它的女主人。我不是说我比她更了解它，我是说我对它的了解甚于对她的了解。它时不时地说，大粪妈的浑蛋婊子。在属于卢丝之前它准是属于一个法国人的。动物是经常更变主人的。它不会说别的什么。不，它还说，操！然而这不是一个法国人教它的，操！可能它自己学的，这并不让我吃惊。卢丝试着让它说，漂亮波丽！我认为为时已晚。它听着，头偏向一边，思索着，然后说，大粪妈的浑蛋婊子。看得出来它尽力了。它也一样,有一天她将埋葬它。一定是在笼子里。我也一样,如果我留下来,她也会埋葬我。如果我有她的地址,我会给她写信,叫她来埋藏我。我睡着了。我从一张床上醒来,衣服被脱掉了。有人冒失到洗涤了我,这从气味上判断得出来,我不再散发出我曾散发的味道。我走到门那儿。门被钥匙锁上了。窗户那儿。装着铁栏。天还没全黑。试过了门窗后还能试什么呢?也许烟囱。我寻找我的衣服。我找到一个电开关扭动了一下。没起作用。这算是哪桩故事!我对这些还算是无动于衷。我找到了拐杖,它们靠在沙发上。人们会感到奇怪,我没有双拐的帮助,却做了我上面提到的那些动作。我对此感到奇怪。在醒来的时候我们没有马上记起我们是怎样的。在一张椅子上我发现了一只白色的夜壶,它里面有一卷卫生纸。什么都没有遗漏。我以某种细致讲述这些时刻,这宽慰了我,对于即将发生的事,我感觉得到。我把一张椅子移近沙发,坐进沙发里,把硬腿搁在椅子上。房间里充满了椅子沙发,满得要爆炸了,它们在我四周,在幽暗中骚动。还有独脚小圆桌,凳子,柜子,等等,数量可观。光亮抹去了奇怪的拥挤的感觉,它也点亮了吊灯,因为我让开关开着。我脸上少了须毛，我发觉了我的一只焦虑的手在脸上摸来摸去。有人给我刮了脸，修剪了胡子。我的安睡怎么能够经受得了如此的亲昵？我的睡眠一般说来是那么轻。对这一问题我找到了一系列回答。但我不知道哪一个是对的。它们也许都是错的。我的胡子其实只长在下巴和颈弯处。别人长出漂亮胡须的地方，我却长不出什么。又有人如此地侵蚀了它，我的胡子。它可能也被染了，没什么能证实相反的情况。我以为自己光着坐在沙发上，但我最终意识到我穿着件异常轻盈的睡袍。即使有人来宣告我将献祭于黎明，我也会觉得很正常。人会变得多蠢。我好像也被喷洒了香水，可能是薰衣草香。我不怎么了解香水。我对自己说，要是你可怜的母亲能看到你。我喜欢格式。我觉得她很远，我母亲，离我很远，然而我比昨夜离她稍近了一点儿，如果我的计算正确的话。但它们正确吗？如果我是在对的城里，我就前进了一些。但我是吗？如果相反我在另一座城里，那里肯定没有我的母亲，那么我就失去领地了。我准是又睡着了，因为现在一轮巨大的月亮嵌在窗口。它被两根栏杆分成三份，中间那部分保持不变，而右边那部分一点点地赢得了左边失去的部分。因为月亮是从左往右的，或者房间是从右往左的，或者也许二者都是，或者它们都是从左往右运动的,只是房间比月亮慢,或者都是从右往左,只是月亮比房间慢。但是人们在这种状况下怎么能谈论左右呢?正在进行的是异常复杂的运动,这点是确定无疑的,然而这看起来却是那么简单,这个巨大的黄光在我的铁栏后面缓慢地航行,昏暗的墙壁一点点地啃食它,直到遮住它。如此这般它平静地运行,并记录在墙壁上,是由上至下的明亮的条状,并且在某些时刻使树叶颤抖,如果那是树叶的话,它又随即消失了,把我留在黑暗中。谈论月亮的时候保持自制是多么困难啊!它那么浑圆,月亮。它朝我们永恒地显露出来的一定是它的屁股。看得出来我对天文感兴趣,那是在从前。我不想否认。然后是地质学使我打发了一段时光。接着人类学极为短暂地讨我厌烦,还有别的科目,如精神病学,附属于人类学的,与之分离又重新附属于它,根据最近的科学发现。我在人类学中所喜爱的,是否定的力量,以及它为了给人定义而表现出的顽强,它以上帝为参照,用那些上帝所不用的辞令定义人。但是在这一问题上我拥有的只是非常混淆的见解,我对人类了解极差,也不太知道存在是什么意思。哦,我都试过了。最终是魔力赢得了在我的废墟上长驻的桂冠,直至今日,当我徘徊其间的时候,我仍能找到一些遗迹。

但更经常发生的，是那个地方没有图，也没有边界，没有建造它的材料，对我来说是不可捉摸的，更不用说它的用处了。而被毁之物，我也不知道是什么，曾是什么，最终涉及的真是一片废墟，还是对永恒之物的不可动摇的混淆，是否后者才是正确的解说。总之是一处没有神秘的地方，魔力抛弃了它，觉得它无神秘可言。如果我不愿意去那儿，我可能比较愿意去别处，带着惊讶与宁静，我是想说就像在梦境中一样，但全不是，全不是的。可是这是个人们不去，却发现有的时候，自己在那儿的地方，不知道是怎么回事，而且不是想离开就离开，在那里人们没有任何乐趣，但是比在那些想竭尽全力地远离的神秘的地方，那些充满了已知的神秘的地方要有较少的不快。我听见自己在规范一个失去平衡的凝固的世界，在一线安静微弱的日光中，亮得刚可以看见，您懂吗，日光也凝固了。我听见喃喃低语，所有的一切都弯曲倒伏，就像处于重载之下，土地也一样，不是为了负载而特有的，阳光也是一样，接近一个好似从不会有的终结。因为这些孤独有什么样的终结呢，那里真正的光亮永远都，既不平衡，也不稳定，而总是这些弯曲的东西滑向没有穷尽的坍塌，在失去早晨的记忆和晚上的希望的天空之下。这些东西，什么东西,从哪儿来,用什么做的?这里好像什么都不动,从未动过,从不会动,除了我,当我在这儿的时候我也不动,但是我看,我被看到。是的,这是个完结的世界,不论表面如何,是它的终结使它产生,它在终结之时开始,这样够清楚吗?我也是,我终结了,当我在此之时,我的眼睛闭上,我的痛苦停止,我终结,弯曲着,就像活人所不能的那样。我将继续听那远方的声息,很久以来它沉默着,我终于现在又听到,我将学习另外的事,与之相关的事。但是我将不再听,此时此刻,因为我不喜欢它,甚至害怕。但这声音不像别的那些声音,人们想听的时候,就听,经常是想让它们沉默的时候,人们就走远或堵住耳朵,但这个声音开始在您的头里微微作响,不知怎么会这样,不知为什么这样。人们是用脑袋听见的,耳朵听不见,人们不想停止它,它自己,想停就停止。我听或者不听,就都没有什么要紧,我将永远听到它,雷鸣也不能把我从中解脱出来,直到它自己停止。但没什么强迫我在对我不相宜的时候谈论这些。这对我不合时宜,在此时此刻。不,此时我该做的,是完成那个还没有完的月亮的故事,我知道。如果我不能拥有全部的心力来很好地完成这个故事,那我也要完成,尽我所能,至少我相信这样。所以这轮月亮，在我思考了一下之后，使我充满了惊讶，是震惊，如果您愿意的话。是的，我以我的方式思考，无动于衷地，我看到它以某种样子，在我的脑子里，与此同时巨大的惊恐占据了我。考虑到这多少值得我探究一下，我就探究了一下并马上有了如下的发现，它在其他的发现之中，但我只掌握了如下的这个，就是这轮刚刚经过的骄傲的圆满的月亮，昨天或前天，是前天，我看见它年少而纤细，背朝下翻倒着，似一片刨花。我对自己说，瞧，他等到新月时才踏上陌生的、朝南方去的路途。一会儿之后，如果明天我去看妈妈。因为一切，都由圣灵的操作维持着，就像人们说的那样。如果我没有在当时提到这一情况，是因为人不能立时什么都提到，而是要在不值一提的事情和更不值一提的事情之间选择。因为如果人想全部都提到的话，那就永无止息了，全都在那儿，要了结，部分了结。哦，我知道，即使在目前只提及某些场合，也不能进一步地了结，我知道，我知道。但是换一下狗屎堆吧。如果说所有的狗屎堆都相似，那不是真的，那也没关系，换换狗屎堆也很好，去稍远处的狗屎堆，时不时地，如蝴蝶采粉，好似我们转瞬即逝。如果弄错了，是弄错了，我是说在提及那些场合的时候，我们最好沉默，在使别的也沉默的时候，名正言顺地，您同意的话，但是，怎么说呢，没有原因，名正言顺地，但是没有原因，如同那弯新月，经常是真诚的，异常真诚的。那么度过了，在山上的那一夜，我那两个窃贼之夜，我决定去看我母亲的夜，与目前的这一夜之间，度过了比我认为要多的时间，即十五天或差不多十五天。这么说那满满的十五天或差不多十五天，是怎么样的，在哪儿度过的？怎样设想它们的可能性，比如它们的内容，怎样把它们安排在我竭尽全力联结得如此严密的事件之链中呢？难道更有益的不是假设一下，前天看到的月亮，远远不像我以为的那样是新月，而是处在满月之前，或者从卢丝家看到的月亮，远不是满月，像它显示于我的那样，而实际上它只是开始从新月充盈为上弦月，或者最终涉及的既不是新月，也不是满月，而是彼此相似的月亮，只是由于曲率的关系，肉眼难以评断，所有阻拦这些假设成立的事物都只是烟云虚幻而已？不管怎样，以这些理由我得以使自己镇静下来，并且在顽皮的自然力面前，重新找到了这颗只值它自己的如如不动之心。我又重新意识到，我又困倦了，我的夜是没有月亮的，月亮与之无关，与我的夜无关，以至于我刚才看到的从窗口漫游而过的月亮，把我送至别的夜别的月亮，我从未看到过它，我忘了自己是谁，（因什么原因）谈论自己像谈论另一个人一样，如果我一定得谈论另一个人的话。是的，这时有发生，还会发生，忘了自己是谁，在自己面前变换成一个陌生人。就这样我看到与实际上不同的天空，大地也罩上了谬误的颜色。这就像一场休息，但这不是，我满意地滑向别人的光亮，那原本曾是我的光亮，我不说相反的话，然后是返回去的焦虑，我不说是哪儿，我不能，可能是去不在之处，应该回去，这就是我全部知道的，留下来不好，离开它不好。第二天我要我的衣服。仆人去问询。他回来时带来的消息是人们把衣服烧了。我继续侦查房间。粗略一看这是个完美的方块。从高高的窗口我看到树枝。它们轻轻摇晃，但不总是这样，猛然的抖动时而骚扰它们。我注意到吊灯亮着。我的衣服，我说，我的拐。我忘了我的拐在那儿，靠着沙发。他重新离开我，让门开着。从门口我看见一扇大窗户，比它从各个方向都超出的这扇门还大，并且是不透明的。仆人回来了，告诉我我的衣服送到洗染店去了，为了去除光泽。他给我带来了拐杖，这本该让我感到奇怪，但恰恰相反，我感到理所当然。我拿起一根来击打家具，但不很使劲，只用力到刚能弄翻家具，而不打破它们。它们没有夜里的时候那么多。

真正说来我推它们要比击它们多,我出手的,是剑刺,剑击,还说不上是推,但推比击要有力。可是,记起了我是谁,我马上扔掉了拐,在房子中间一动不动,决定不再要求什么,也不再假装恼怒。因为如果我想要我的衣服,我相信我想要的话,当我被拒绝的时候,这不是一个我用来假装生气的原因。重又独自一人,我继续侦查房间并且正要发现别的所属物的时候,仆人回来告诉我,有人被派去取我的衣服了,我马上就会得到它们。然后他开始竖起我掀翻的家具,把它们摆回原位,用一只突然出现在手里的掸子一点点地给它们掸去灰尘。一会儿之后我开始尽量帮他忙,显出我没有跟谁生气。如果说我因为我的硬腿,不能做什么,我却尽力而为,就是说随着他把家具竖起,我以过分的细心慢慢地摆弄它们,把它们放置在准确的位置上,为了更好地判断出效果,我缩回双臂,然后我又快速上前,对它们进行难以察觉的改动。我身上睡袍的下摆因我的移动来回猛摇。但在这样一幕哑剧中,我也没能坚持下去,骤然停在房间中央一动不动。但是一看出他要走了,我朝他走近一步说,我的脚踏车。这句话,我反复重复,直到他像是懂了。这个仆人,纤小而看不出年纪,我不知道他是哪一种族的,肯定不是白种人。可能是东方人，不清楚，东方人，日出处的孩子。他穿着条白裤子，一件白衬衫和一件黄背心，后者像是鹿皮的，带着金黄色的纽扣，还穿着双凉鞋。我如此清晰地观察到人们的穿着是极少见的情况，我很高兴能够让您分享此事。这也许说明了整个这一早上所涉及的事情只是衣物，我的衣物。我可能骨子里对自己说，瞧瞧这一位，他在他自己的衣服里无忧无愁，而我在一件外人的睡衣里飘动，这一定是一个女人的，因为睡袍是粉红透明的镶着饰带，花边还有褶子。房间却恰恰相反，我看不清它，每次我对它进行探察的时候，它都像是变了样，这叫作在我们现有的认知状态下看不清。连树枝都好像移动了位置，好似拥有一个自身的轨迹速度，在不透明的大窗户内门也不在那里了，而是微微向右或向左移了，我忘了是向哪边，如此这般，门框中映出的是一面白色的墙，在墙上我能因做出某些动作而造出一些微弱的影子。但这一切都是有自然的解释的，我愿意这样认为，因为自然力的源泉似乎是无穷无尽的。是我自己不够自然以至不能把自己自如地纳入这种事情中并欣赏其中的奥妙。但是我习惯于看到太阳从南方升起想不起自己要去哪儿，一切都变得互相矛盾自行发展，也忘了自己离开的是什么，与我相伴的又是什么了。在这种状况下去母亲的家,您会承认是不合适的,不像去卢丝们的家那么合适,尽管并没想去卢丝们的家,或者不像去警察局,或别的等待我的那些地方合适,我感觉到了会去。但是仆人给我带来了衣服,它们包在一张纸里,他在我面前打开,我注意到我的帽子不在其中,我说,我的帽子。当他懂了我要的是什么以后,他走开了一会儿,然后拿着我的帽子回来了。那么我就什么也不缺了,除了那根把帽子连在大衣纽扣眼上的带子,但是使他能弄清楚这一点让我感到绝望,结果我一言不发。一根旧带子,总是能找到的,它不是永久的,一根带子,不像真正意义上的衣服那样是永久的。至于脚踏车,我大有希望它就在下面的某个地方等着我,可能就在台阶前面,随时都能把我远远地带离这些可怕的地方。我看不出有什么理由好再暗示一下,即我们,它和我不得不承受这一新的困苦,当我们有办法得以幸免的时候。这些念头飞快地穿过我的头脑。我衣服的,一共是,四个口袋,我当着仆人的面检查它们,发现里面缺了东西。特别是可吮吸的那块石头不见了。但是可吮吸的石头,在我们那儿的海滩上很容易找到,只要知道去哪儿找,我觉得最好对此事保持沉默,否则他很可能在我们一个小时的谈话之后跑到花园里给我找来一块根本无法吮吸的石头。至于别的不见了的物品,有什么好说的呢,我也不清楚它们到底是什么。况且有可能是在警察局,在我不知道的什么时候被人拿走的,或者是我摔倒的时候掉出去的,或是在另一个时候,可能被扔掉了,因为在气恼时,我会一口气扔掉身上所有的东西。所以有什么好说的呢。然而我却决定高声说出我少了一把刀,一把好刀,我肯定地知道我作为礼物收到过一把蔬菜刀,所谓不锈钢的,但没多久我就使它生锈了,它开开关关,不同于我所知道的别的蔬菜刀,它有个关上的键,这个键很快就不管用了,关不上什么,由此导致我手指上无数的伤口,它们卡在所谓真正的爱尔兰角的刀把与红色生锈的刀刃之间,刀刃钝得给我造成与其说是割伤不如说是挫伤的伤口。我如此长久地谈论这把刀,是因为我确信在什么地方我一直拥有着它,在我的财产之中,在此我长久地谈论它,我就不会在那一时刻再谈论它了,如果它永远不会来的话,做我的财产清算的时刻,我将因此感到宽慰,在我需要感到宽慰的时候,我已感觉到了。因为我大肆谈论我弄不丢的东西比大肆谈论我已经弄丢的东西更多,这是很自然的。如果我不像是一直在遵循这一原则,那是因为这原则在我的控制之外,在有些时候,它荡然无踪，就好像我从来也没有把它显现出来过一样。这是颠三倒四的话，没关系。因为我不太清楚我在做什么，为了什么，这正是我越来越弄不懂的事，我不隐瞒。因为我为什么要隐瞒呢，对谁隐瞒呢，对您，对谁也不需隐瞒的您？接着我充满了这样一个，我不知道，怎么也说不出来，对我而言，在此时此刻，在这么久以后，您懂吗，我不停地想弄清楚所依照的是什么原则。也不论我做什么，就是说不论我说什么，是不是总是在某种意义上是一致的，是的，在某种意义上。要是我在没有原则的地方，说到原则，我也无能为力。它应该在某个地方。并且如果我总是在某种意义上做一样的事，而这一样的事却不符合一样的原则，我也是无能为力的。况且怎么知道一个人是否一致？怎么会有想知道的愿望？不，这一切不值得人们停留下来，但是人们停留下来，对价值无知无觉。而对于值得的事，人们却不停下，人们弃之而去，出于同样的原因，或由于智慧，知道这些关于价值的故事不是为了您，您不再清楚地知道您做的是什么，为了什么，您应该继续对此保持无知，违者处以，我自问处以什么，是的，我自问。因为这甚于，不知道我在做什么，为什么做，这是个我从来也没能拥有过一丁点儿见解的事情，而这并不使我吃惊,因为我从未试图拥有过。因为对于拥有什么,我原可以设想出更糟的,我将会直冲上去,为了拥有它,我如此了解自己。那么我有什么,是什么,对我足够了,这对我一直够了,至于我对未来的小小的厚爱我也无忧无虑,我没有想无聊度日。于是我穿衣服,事先确定人们一点儿也没改变它们的状态,就是说我穿上裤子,大衣,戴上帽子,又穿上鞋。我的鞋。它可一直提到我长着腿肚的地方,如果我有腿肚的话,并且半截系扣,或可以系扣,如果有扣子的话,半截系带,我一直拥有这双鞋,我相信,在什么地方。然后我拿起拐杖离开了房间。整整一天都消耗在这些蠢事中,现在又起了薄雾。我查看了一下,在下楼梯的时候,我从门里看到的窗户。它把光线洒在楼梯上,茶紫色的光。卢丝在花园里,正在狗坟上鼓捣。她在那儿撒草籽,好像草不会自己撒籽似的。她趁着暑热下去的时候干活。看见了我,她热诚地朝我走来,并给我吃的喝的。我站着吃喝,眼睛搜寻着我的脚踏车。她说着话。很快吃饱了,我开始找我的脚踏车。她跟着我。我最终找到了,我的脚踏车,它靠在一丛极其柔韧的把它吞没了一半的灌木丛上。我扔掉拐杖把它抓在手里,抓着车座和车把,试图在跨上它永远离开这些被诅咒的地方之前,试着让车轮转几圈,向前,向后。但是我使劲推呀拽呀,车轮就是不转。让人觉得车闸整个刹住了,但是事实并非如此,因为我的脚踏车没有闸。我突然感觉到巨大的疲劳侵入体内,尽管这一时间是我的活力达到最大值的时刻,我把脚踏车丢回到灌木丛里,平躺在地,在草地上,没去操心露水,我从不怕露水。就这样,卢丝利用我的衰弱,蹲在我的身边,开始给我一些提议,我不得不承认对这些提议我并不专注地侧耳听着,由于无事可做,再说也不能做别的什么,她一定在我的啤酒里放了什么使我衰弱的东西,使莫洛伊衰弱,以至于我可以说是成了比一堆正在融化的蜡有过之而无不及的东西。从这些,她慢慢陈述的,对每一条都重复多次的提议中,我最终清理出连续的毫无疑问是最主要的部分。我不能阻止她对我有好感,她自己也不能。我将留在她家,我将像在自己家里一样。我将有吃的喝的,要是我抽烟的话还有烟抽,一切免费,我的生活会过得无忧无虑。我在某种意义上将替代我撞死的那条狗,它曾是她的孩子。我将帮着料理花园,房子,如果我想要的话,什么时候都行。我不到街上去,因为我一旦上街就不知道怎么回来了。我将选择对我最合适的生活节奏,在我高兴的钟点起床,睡觉,用餐。如果我不想干净，不想要像样的衣服，不想洗澡，等等，谁也不会强求我。为此她将感到忧伤，但是她的忧伤与我的忧伤相比，又算得了什么呢？所有她要求的，只是感觉到我在她家里，与她在一起，并且她能够时不时地观望我这具非凡的躯体，在它停顿与来去的状态中。我不时打断她的话，问她我是在哪个城里。但是要不就是她不知道怎么弄明白我的意思，要不就是她想让我什么也不知道，她不回答这个问题，而继续她的长篇大论，以无尽的耐心重回到她刚刚说过的话上，然后慢慢地轻柔地在陈述中进一步保证我住在她家的好处及她的，对于她，拥有我的好处。一直到什么也不存在了，只有这个单调的声音，在越来越浓的夜里，潮湿的土地气息和一种非常浓郁的我一时无法判断出是什么的花香里，我后来判断出是薰衣草的香气。在花园里，到处都是薰衣草花圃，因为卢丝喜欢薰衣草，一定是她亲自告诉我的，不然我不会知道，她爱薰衣草甚于所有的花草，因为它的气味，也因为它的穗子和颜色。我一定能保存嗅觉，薰衣草的气味将总使我想起卢丝，根据著名的联想原理。这些薰衣草，我猜想一旦成熟她就采摘，把它们晒干后分装在一个个小袋子里，放入衣柜，用来熏香她的手绢、内衣及家里的各类毛巾。然而，时不时地，我听见钟鸣,是教堂的钟声和挂钟声,越来越长久,然后突然很短暂,然后又重新越来越长久。这是告诉您她为了拥有我而花的时间,她的耐心和她身体的忍耐力,因为在整个这段时间里她都在我的身边蹲着或跪着,而我则静静地躺在草地上,一会儿仰面朝天,一会儿俯身朝下,一会儿侧卧这边,一会儿侧卧那边。她不停地说着我仅仅张开嘴为了问,越来越遥远地,越来越虚弱地,我们是在哪个城里。她终于认为大局已定,或明白在她的权限中已经尽力而为了,再强调下去也没用了,她站起来走了,我不知道是去哪儿,因为我待在原处,带着遗憾,但并不强烈。因为在我身上除了别的小丑之外,总是有两个小丑,一个只要求自己待在自己待着的地方,而另一个想象在稍远些的地方自己会好受一些。以至于我总是在某种意义上要求,不管我做什么,都在这一范围里得到满足。我轮流向它们让步,向这些同谋,以让它们有机会认识自己的错误。这一夜没有月亮的问题,也没有别的光,但这是一个倾听的夜,这夜献身于细碎的微响与叹息,它们骚扰着赏心悦目的小花园,由叶子与花瓣的羞怯的喧哗和跟别处流动得不一样的空气组成,那里没有多少约束,跟可以监管与严惩的白天也不一样,还有别的不清晰的东西,既不是空气也不是被空气带动的。也许是远方的声音总是那一个由大地发出被别的声音所隐藏的，但不会长久。因为别的声音意识不到这个当人们真正倾听就能听到的声音，当一切都似乎沉寂的时候。还有另一个声音，我生命的声音，花园使之成了它的声音，这立于深渊与沙漠之交叠地的花园。是的，我不仅会忘了我是谁，还会忘了我是什么，忘了是。那么我就不再是这个关严的盒子，在它之中我必须好好地保存自己，而一个隔板突然倒下，于是我充满了，比如说，静静的根与茎，早已死去的人们将烧掉的撑苗木的支柱，黑夜的休息及对太阳的等待，还有腰杆结实的地球的吱吱响声，因为它朝着冬季滚动，冬天将使它摆脱掉可笑的外貌。或者我是这冬天不安稳的宁静，什么也改变不了那雪的融化及重新开始的恐怖。但这种事并不经常发生在我的身上，大部分时间我都待在我的盒子里，它既不知季节也不知花园。这样更好。但是在这里要小心，在提问题的时候，比如在提出想知道自己是否总是存在的问题的时候，如果不总是存在，那么什么时候结束，如果总是存在，那么还要继续多长时间，不论有什么阻止您失去梦想的线索。我很乐意问自己问题，一个接一个地，只是为了观赏它们。不，不是乐意，是出于理性，为了相信我存在。但是存在对我并不意味着什么。我把这称为思考。我几乎不间断地思考,我不敢停下来。也许因为这样有损于我的纯真。这纯真有点儿不新鲜了,边缘被蚕食了,但我挺高兴拥有它,对,挺高兴。够谢谢的,就像有一天一个小男孩对我说的那样,当我捡起他的弹子的时候,我也不知道为什么,没什么迫使我那样做,他肯定更愿意自己捡。也许我不该捡起来。以我为此花费的气力,因为我的硬腿!这些言词永远印入了我的记忆,毫无疑问我一下就捕捉住它们了,这种事并不经常发生在我的身上。并不是我耳朵不好使,因为我耳朵挺灵的,况且,声音并不具有确切的意义,我也许比任何人都能更好地感觉到声音本身。那么又是什么呢?可能是理解力的障碍,它在多次叩击之后才开始回应,或是它回应了,但只是在高谈阔论的级别之下,如果这是可以设想的话,这是可以设想的,既然我如此设想。是的,我听到的言词,并且是很清楚地听到的,因为我听觉敏锐,我听到一次,甚至两次,经常一直听到三次,如一些超于任何意义之外的纯净的声音,很可能正是出于其中的这一原因,对话对我而言才难以形容地困难。而我自己发出的言词总是与智力的努力紧密相连,它们经常让我听起来像虫子的嗡嗡声。这就解释了我为什么不爱言谈，我不仅在听懂别人对我说什么上有困难，而且在听懂我对他们说什么上也有困难。以极大的耐心，人们最终是可以互相理解的，这是真的，但是在什么问题上互相理解，我请教您，结果又是怎样。对于自然界的喧响也是一样，还有人类的作为，我相信，我以自己的方式做出反应来，也不梦想从中汲取教益。我的眼睛也是一样，好的那只，准是不巧地与蜘蛛联系在一起了，因为我很难命名出它那里面反映出的东西，经常是清清楚楚的。这并不是说我看到的世界是颠倒的（那就太简单了），我确实是以一种明确得夸张的方式看世界的，但并不因此有一点点的美感，或艺术感。况且因为只有一只眼，两只之一，它运作得还算得体，我很难掌握把我与另一个世界分开的距离，我经常地把手伸向老实说在我臂膀可及范围之外的东西，同样经常地撞在地平线处隐约可见的物体上。即使在我两只眼睛都好的时候也是一样，好像是这样的，但也许不是，因为它远于我生命中的这一时期，我为之所保留的记忆远不止于不完善。好好思索一下，我在味觉与嗅觉上所作出的尝试也好不到哪儿去，我闻着品尝着我不知道确切是什么的东西，甚至分不出好坏，很少连续两次产生同样的感觉。我相信我会是一个出色的丈夫，对我的妻子不会感到厌倦，并且只是因为散散心才对她不忠。现在，告诉您为什么我与卢丝待在一起，有好长时间，这是不可能的。就是说我确实做到了，费力地做到了。但是为什么我要费力？因为这样我才命定地达到了要求。我曾经喜爱老赫林克斯的形象，他死得很年轻，他给予我自由，在奥德修斯的黑色船上，把我冲向太阳升起的地方，冲在甲板上。对于不拥有先锋精神的人来说，这是个巨大的自由。在船尾，倾身于波涛之上，我这个悲哀欢笑的奴隶，注视着骄傲而无用的航迹。是的，不使我远离任何故乡，不把我带入任何罹难。所以在卢丝家停留了好长时间。这很模糊，好长时间，可能是几个月，可能是一年。我知道我离去的那一天天气又热了，但是这并不说明什么，在我们那儿，天气在一年中的任何时候都会热会冷，或仅仅是温和的，并且日子不是平缓地行进的，不，不是平缓地。也许从那以后变了。我仅仅知道我离开时的天气与我来到时的天气是一样的，在我还能知道天气是怎样的情况下。自那么长时间以来我都在户外，在各种气候中，我辨别这样或那样的天气辨别得挺好，我的身体辨别它们，并且好像有自己的偏爱。我认为我占据着许多房间，一个接着一个，或是交替地，我不知道。在我的脑子里有好几个窗户，这点我肯定，但也可能总是同一个，朝着列队而行的宇宙，以不同的方式敞开着。房子是不移动的，这可能就是我谈到那些不同的房间时想表述的。花园和房子是不动的，借助于我不知道是怎样的平衡机制，而我呢，当我安静的时候，我大部分时间都这样，我也不动，而当我移动的时候，我移动得异常缓慢，就像人们说的在时间之外的笼子里，用小学生的行话来说，听好了，还是在空间之外。因为在一个之外而不在另一个之外是说给比我精明的人听的，我不精明，还有些傻。但是我会完全弄错。那些在我脑子里敞开的不同的窗户，当我俯身观察这一时期的时候，它们也许真正地存在并且可能一直存在，尽管我已不在那儿了，我是说正注视着它们，把它们打开关上，或是躲藏在房间的深处对窗框框出的物体感到惊讶。但是我一点儿也不会对这一短暂得可笑并且内容少得可怜的插曲进行没完没了的渲染。因为我既没有帮忙料理房子，也没有帮忙料理花园，并对那里进行的工程一无所知，只听到传来的响声，沉重而生硬的响声，然后经常是用力搅动空气的声音，我听上去是这样，也许那只是燃烧的声音。与房子相比，我更喜欢花园，证据是我在那儿度过很多漫长的时光，因为大部分的白天和黑夜我都是在那儿度过的,天气好也好坏也好。一些人在那里不停地忙碌着,在干着我不知道是什么的活。因为花园显然总是原有的样子,日复一日,撇开那些细微的属于常规的生与死的循环的变化不谈的话。在这些人中我像一片枯叶一样飘摇四处,或者我躺在地上,于是他们小心地从我身上跨过,好似我是一处珍奇花草的花圃。对了,一定是为了阻止花园改变外表,他们才如此地奋力而为。我的脚踏车又不见了。有时候我会有寻找它的愿望,为了重新见到它,也为了对它的状况有一个更清楚的认识,或是为了在把花园的不同部分连接起来的通道与小径上骑上一会儿。但是这一愿望,与其说是想办法去满足它,不如说我只是对它进行沉思,如果我敢这样说的话,沉思着它一点点地枯萎了,最终消失掉,就如众所皆知的驴皮①,只是比它要迅速得多了。因为在愿望面前似乎有两种行为方式,积极的和冥想的,不管它们是否导致同样的结果,我偏爱的是第二种,肯定是性情的关系。花园环绕着一圈高墙,顶上镶嵌着耸立的鱼鳍状的玻璃碎片。然而,让人意想不到的是,一扇栅栏小门嵌入墙

---

① 这一表达出自巴尔扎克小说《驴皮记》,如今在法语中常用于指代不断缩小的东西。

中并自由地通向街道，因为它没锁着，我完全可以肯定，我曾屡次毫无困难地打开又关上它，白天黑夜都一样，还看见除我之外的别的人穿越它，两个方向都一样。我把鼻子伸出去，又赶快缩回来。还有一些发现。在这围墙内我从未见过任何女人，说到围墙，我指的不光是花园，花园当然在内，还有房子，都是只有男人，卢丝当然除外。我看到的与没看到的，显然并不意味着什么，但我还是要指出来。卢丝，我很少见到她，她很少让人看见，让我看见，也许是出于谨慎，怕惊吓到我。但我认为她经常窥伺我，躲在灌木丛后，或窗帘后面，或一层的一间房间深处的地毯后面，可能借助于一架望远镜。因为她不是说过她最渴望的就是看到我吗，看到我来来去去或在休息时静止不动？为了看得清楚应该利用钥匙孔，树叶之中的小洞，看到所有阻止被看见同时又显示出物体的片段的东西。不是吗？是的，她监视我，一片一片地，毫无疑问一直深入我躺下的状态中，我沉睡，我起床，我睡觉的早晨。因为在这种关系中我仍忠实于自己的习惯，就是当我睡觉的时候，我是在早晨睡觉。因为我会根本不睡觉，有好几天的时间，一点儿不觉得有什么不对劲。因为我的清醒就是一种睡眠。我并不总在同一个地方睡觉，而是有时睡在花园里,它很大,有时睡在房子里,它也很大,确实空间异常广阔。这种我在睡眠上时间与地点的不确定性一定使卢丝充满怡乐,我这样想象,使她以非常愉快的方式消磨时光。但是强调我生活中的这一时期是没有用的。不断地把这称为生活,我最终都要相信了。这是广告的原理。我生活的这一时期。它使我想到,当我想的时候,一个水流中的气泡。我想补充的只是这个女人继续以文火毒害我,把我不知道的什么有毒的东西放进给我喝的或是吃的东西里,或许两个都放,或是一天放在一个里面,一天放在另一个里面。我在此宣布的是一个严重的控告,我不是随便说说的。我不是带着记恨做的,是的,我毫无记恨地指控她在我的食物里加入了有害而无味的粉末和液体。话说回来,即使它们是有味道的事情也毫无改变,我会以一模一样的天真把它们全部吞下。比如说,那出了名的杏仁的怪味,使我失去胃口的倒不会是它。我的胃口!我们来谈谈它吧。这是多么异乎寻常的事。我的胃口很小,我吃东西像小鸟一样,但那么一点儿东西我却是以人们用来描述饕餮者的狂热一吞而尽的,人们弄错了,因为贪吃的人吃起东西来大体是既缓慢又有条理的,这点就在贪食者的定义上打了折扣。而我呢,我扑向唯一的一盘菜肴，像凶猛的鱼类一样只两口就吞下一半或四分之一，我的意思是并不咀嚼（我用什么咀嚼呢?），然后厌恶地把盘子远远地推离自己。人们会说我吃只是为了活着！同样地我一口气吞下五六罐啤酒，然后一个星期里什么也不喝。您想怎么样呢，一个人是什么样的，那他就是什么样的，至少部分如此。没什么或很少能改的。说到她如此混入我体内不同系统的物质，我不知道是兴奋物还是更可能的消沉物。老实说，从机体感觉的意义上来说，我几乎像平常一样对外界没有什么感觉，这是——注意，我要供认出来了——一种震颤的神经质，以至于我在某种意义上失去了知觉，如果我不说是神智的话，我漂流在悲悯的昏沉深处，短暂可恶的闪光偶尔掠过，就像我有荣耀告诉您一般。卢丝的魔草，为了延续快乐，很可能是以极微的量加入的，它怎么能够与如此的均衡状态较量呢。那么它完全没有效果，不，我不至于这么说。因为有时候我很惊讶自己朝着空中小小一跳，至少有两三尺，至少，我是从来不蹦跳的。这类似于飘浮。我也发生过这种事，不那么让人吃惊的事，就是在我走路的时候，或是即使靠着一个随便什么支撑物站立的时候，会突然倒下，好似松了线的纸板木偶，然后在地上待好长时间，完全没有筋骨。对，这对我来说不那么奇怪，因为我习惯于这些虚弱状况，但对这一种却没有那么习惯，平时我感觉到它们的来临及对我的控制，就像一个警觉的癫痫病患者在发病前感觉到的那样。我的意思是知道我要倒下了，我躺下来，或是站立着调整固定住以异常的灵巧使任何低于地震的晃动都不能移动我，然后我等待着。但我并不总是采取这些防护措施，与躺倒或调整固定自己的辛苦相比，我宁可摔倒。然而在卢丝家我摔倒之前却没有时间回应。但不管怎样摔倒，我并不怎么惊讶，这比我的弹跳发生的次数更多，比那些小小的跳跃。因为即使是孩子的时候我也不记得自己跳过，愤怒与疼痛都不能使我跳起来，即使是个孩子，谈论到那个时期时，我也是同样不够格。我的饭菜，好像是怎样吃，什么时候，在哪儿吃，都是根据我的方便进行的。我从来也没有要求过吃。有人把饭菜给我带来，带到我所在的地方，用一只托盘。我还能看见这只托盘，我几乎想看就能再看见，它是圆形的，有一圈小小的外沿，为了防止东西掉出去，并且漆成红色，有些地方有裂纹。它很小，正好是只能盛一个盘子和一片面包的托盘。因为我吃的是那么一点儿东西，我干脆就用手把它们塞进嘴里。还有饮料瓶，我仰着头一口气喝光的瓶子，是另外给我送来的，用一只篮子。但对这只篮子我没有任何印象了，好坏印象都没有，我也说不出它是什么做的。经常，出于各种各样的原因，我离开了人们给我带过来这些食物的地方，当吃喝的欲望占据我的时候，我不知道怎样再找到它们。于是我到处搜寻，经常带着种幸福感，因为我对那些可能接纳过我的地方了解得足够清楚，但我经常只是徒劳一番。或者我不去寻找，宁可饿着渴着也不费力去寻找事先不知道是否能找得到的食物，或者叫人再给我拿另一个托盘和篮子，或同一个托盘和篮子，到我在的地方。于是我很惋惜没有可吮吸的石头。当我说宁可的时候，比如说，或是说惋惜，不应该理解为我选择了哪怕是微小的痛苦，并忍耐了它，因为那将是个错误。然而，并不确切地知道我做的或避免的是什么，我做了并避免了没去怀疑有一天，很久以后，我将不得不回到这些行为和疏漏上来，因为久远而变得淡漠又美好了，为了把它们送入幸福的污流中。可是我应该说，在卢丝家我的健康状况多多少少维持着。就是说我身上已经坏了的地方一点一点地变得越来越坏，恰如预料的一样。但是没有任何新的疼痛及感染的部位产生，自然除去那些由已有的多血症和功能衰竭的蔓延而形成的新的部位。老实说在这一问题上有把握地什么也不肯定是困难的。因为随之而来的紊乱,比如说我左脚脚趾的脱落,不,我弄错了,是右脚的,谁能知道是在哪一个确切的时刻我接获了,哦,不论我意愿如何,那些倒霉的种子?所有我能说的是,因此,我尽量不说得更多,那就是我住在卢丝家期间,在病理学上,没有任何惊人的或意外的事件产生,没有什么我本可以预料却没有预料到的,没有什么可以与我半数脚趾的突然脱落相提并论的事故。因为脚趾脱落是我未能预料并且从未深入其内涵的,我说的是它与我另外那些身体不适的关系,一定是由于我缺乏医学知识才未能预料。因为什么都维持着,在身体的漫长的狂乱之中,我感觉到了。但是我没有必要延续这一段,我的,我的生存的故事,因为它没有意义,依我看来。这是只我枉然挤压的乳房,它流出的却只是气泡和唾沫。所以我要加的只是如下的几点发现,第一点是,从身体上说,卢丝是一个异常平板的女人,以至于我今晚,在与我最后的居处比较只是相对的寂静里我还在问自己,她难道不更是一个男人或至少是个阴阳人吗。她的面孔有层淡淡的绒毛,难道这不是我想象出来的,为了故事的便利?我看见她的时候是那么少,可怜的女人,我看着她的时候也是那么少。还有她的嗓音不也是带有一种可疑的低沉吗?现在她就是如此这般地呈现在我面前。别焦虑不安,莫洛伊,是男人还是女人,又能怎么样呢?男人们,我碰过几个,而女人呢?那好吧,我不想再隐瞒了,是的,我碰过一个。我说的不是我母亲,对她我做的比碰碰更多。那么我们让我母亲远离这些故事吧,如果您愿意的话。而是另一个女人,她足以做我的母亲了,我想甚至足以做我的祖母了,如果命运做了另一番决定的话。是她让我认识了爱。她有个平和的名字叫露特我相信,但我不能确定。也许她叫埃迪特。她两腿之间有一个洞,哦,不是一个出水口,像我一直想象的那样,而是一道缝,我把,不如说她把,我所谓的阳性器官放入其中,不是没有困难地,然后我向前推进并耗尽力气一直到我射出或是我半途而废或是她恳求我停止。一个混蛋游戏依我看,并且时间一长让人疲劳。然而我以足够的仁慈听凭安排,知道这就是爱,因为她对我这样说。她俯身在长沙发上,因为她有风湿病,我从后面进入她。这是她唯一能忍受的姿势,因为她的腰疼。我呢,我觉得这很自然,因为我见到过狗是怎么弄的,当她向我承认人们可以用另外的方式时,我非常吃惊。我自问她确切想说的是什么意思。也许最终她是把我放入了她的肛门里。这对我绝对一样,您好好想想。但那是真正的爱吗，在肛门里？使我忧愁的是这个。这也是一个少有的平板的女人，她以僵硬的小步子向前移动，拄着一根乌木拐棍。这也可能是一个男人，又是一个。但如果是这种情况的话，我们的睾丸不是会互相碰撞吗，在我们摇动的时候？她也许把她的那两个紧握在手里，特地为了预防碰撞。她穿着庞大晃荡的衬裙，里面是褶边和一些我叫不出名字的东西。这一堆在掀起的时候翻滚起伏簌簌作响，然后，结合一完成，它又如缓慢的瀑布从上面倾泻而下。以至于我什么也看不见，除了那只黄色僵直的脖颈，它要断了，我不时轻咬几下，这就是本能的力量。我们在一处荒地相识，在一千处荒地之中我也会认出来那一处，然而这些荒地很相似。我不知道她到那里做什么。我呢，我徐缓无力地搅和着残片，很可能对自己说，因为在那个年龄我一定还有一些总的概念，这就是我的生活。她没有可失去的时间，我没有可失去的任何东西，我可以与一只母山羊做爱，为了认识爱。她有一套娇艳的公寓，不，不是娇艳的，它使您想找到您的一处位置并再也不想从那儿起来。它让我喜欢。它布满了小型的家具，在我们绝望的动作的震击下，长沙发顺着它的底轮向前滑，一切都倾倒在我们周围，那是个乌烟瘴气的魔窘。我们的关系中也不乏温情,她用颤巍巍的手给我剪脚指甲,我用半块膏脂给她揉臀部。我们的田园牧歌只持续了很短的时间。可怜的埃迪特,可能是我加速了她的终结。总之是她领先在前,在荒地,用她的手抚过我的前裆。更确切地说,我弯身在一堆污物之上,希望能找到使我厌恶饥饿的东西,她呢,从后面靠拢我,把拐棍插入我两腿之间并着手取悦我的器官。每一回合后她都给我钱,我本会以义务的方式接受,去认识爱,去深入了解爱。这不是一个实惠的女人。我似乎更喜欢一个不那么干燥不那么宽大的口子,我相信那会使我对爱有一个更高的概念。总之。不然在拇指与食指之间人们会感觉更好。但是爱是不在乎这些意外情况的。可能根本不是当感觉好的时候,而是当发狂的器官寻找一处可以摩擦的内壁,和有点儿黏稠的润泽,而什么也找不到又不退下阵来,仍保持着肿胀,可能就是在这种情况下,真正的爱才随之产生,它翱翔而起,高高置于低下的尺寸问题之上。还有当人们加上一点儿修脚和按摩,与本义上的极乐没有任何直接的关系的时候,我觉得在这一问题上,任何疑问都不复存在。在这一问题上,唯一使我烦心的是,我得知她死讯时的无动于衷,那是一天夜晚当我晃荡到她家去的时候,我的无动于衷的确有所减缓,当我忧伤地发现我的进项来源就此枯竭的时候。她是在洗温水浴的时候死的,正像她在接待我之前惯常做的那样。这使她衰竭。当我想到她本在等待到我臂膀里的时候!浴盆翻倒了,脏水泼得到处都是,一直渗到楼下女邻居家,是她报了警。瞧瞧,我没想到自己这么了解这个故事。不管怎样她该是个女人,如果是相反的话,街区里的人该会知道。在我的家乡,在所有涉及性的问题上,人们确实是异乎寻常地封闭。我不知道今天变得怎么样了。极可能是当人们在该发现一个女人的地方发现了一个男人,这样的事很快就被那几个不幸知晓事实的人抑制并遗忘了。怎么会大家全都知道并且谈论此事,而只有我除外呢。但是当我在这一问题上向自己发问的时候,有一件事使我忧虑,就是想要知道我的整个一生是没有爱而度过的呢,还是我真的与露特在一起的时候,认识了爱。我能够确定的是我再也没有寻找去更新这一经验,肯定直觉上知道这是完美的独一无二的,在它这一类中,是已完成的不可模拟的,重要的是保留住这一记忆,在我的心中,不让它被模仿并玷污,哪怕时不时地求助于所谓孤单的享乐的善意调解。别跟我说起小女仆,我不该谈到她,那是更早以前的事,我病了,也许从来就没有过一个小女仆,在我的生活里。莫洛伊或没有小女仆的一生。所有这些是想指出与卢丝相遇并与之交往的事实,在某种意义上,不能证明她的性别。我想要继续相信她是个老女人,干枯的寡妇,露特也是一个,因为她也谈起过她的亡夫以及他怎样不能满足她的合法的狂热。有些日子,就像今天晚上,她们在我的记忆中混淆起来,我被引诱着只想看见一个单独而同样的被生活弄得老迈、扁平、愤愤然的女人。上帝原谅我,为了向您吐露我恐惧的深处,我母亲的形象有时候也加入她们的队列之中,这真的是难以忍受,有了可以相信被死死钉上十字架的理由,我不知道为什么,也还不想知道。但我最终离开了卢丝,在一个闷热的夜里,没有跟她告别,这本是最起码的事情,毫无疑问她也没有试图以妖术之外的什么方法留住我。但她一定看到我离开了,看到我起身,拿起拐杖并动身,穿过空气,以拐端为支点。她也一定看到栅栏门在我身后关上,因为借助于一个弹簧的牵制力,门自动地关上,并知道我走了,永远走了。因为她知道当我走到栅栏门那儿时惯常是怎么做的,我只是把鼻子伸出去,一秒钟后又缩回来。她没有试图留住我,但她也许到她的狗坟边坐下,在某种意义上那也是我的坟,顺便说一句,她没有撒草籽,像我以为的那样，而是撒了各种五颜六色的小花和草本植物的种子，经过精心挑选，以至于当其中的一些枯萎的时候，另一些则怒然开放，我感觉到了。我给她留下了我的脚踏车，我忽然不再喜爱它了，怀疑它是一辆不吉祥的车，也许就是我最近不幸的根源。如果我知道它在那儿，它还能走的话，不管怎样我还是会带上它的。但我对这些一无所知。并且我害怕，当我忙于这些事的时候，会损害了那个小小的声音，它说溜吧，莫洛伊，拿起你的拐杖溜吧，我花了那么长时间才理解的声音，因为我听见它已经有很长时间了。也许我理解错了，但是我理解了这是件新奇的事。我也觉得这次出行不一定是最终的，有一天它会再把我带回，经过复杂而无形的圈子，带回到它原来的居所。我也许还没有在我路程的终点上。街上有风，是另一个世界。不知道自己在哪儿，要去哪儿，我应该朝向哪儿，我选择了风的方向。当我在两拐之间悬稳之后我向前摆，感觉到风推送着我，这不知从哪片地方刮来的小风。至于星星，别提了，我分辨不清也不会解读它们，尽管我研究过天文。但我进入了碰见的第一个隐蔽处并在那儿待到天亮，因为我知道出现的第一个警察不会错失拦住我的去路并问我在做什么的良机，这是我从来找不出好的答案的问题。但那不是个真正的庇护之处，我没有待到天亮，因为在我进去之后一会儿工夫闯进来一个男人把我赶走。其实那里有给两个人的地方。我想那是个守夜人之类的人，是个男人，没错，他一定负有什么我不清楚的挖掘工程的看管任务。我看见一只火盆。实际气温，像人们所说的那样，应该是凉爽的。我因而走得更远些，在一个破旧房子的楼梯上安顿下来，房子没有门还是门没关，我不清楚。离天亮还早的时候，这座旧房子开始空了。一些人走下楼梯。我紧贴着墙。人们没有注意我，没人伤害我。我最后也出去了，当我断定安全的时候，我在城里漫游，寻找一处认得的大建筑物，它将使我能说，我是在自己的城里，总之，我一直在这里。城市醒来了，门槛有了动静，声音达到了可观的量度。但我看准了两幢高楼之间的一个狭窄的通道并朝四周望望，然后我朝那儿滑去。只有一些小窗对着通道，一边和另一边的，每层有一个。它们对称地面面相对。一定是厕所的窗户。不管怎样，有的时候有一些事物以公理的力量强迫人的智力接受，人们都不知道为什么。这个通道没有出口，所以它不是一个真正的通道而是个死胡同。在尽头处有两个加固物，不，这不是该用的词，一个对着一个，两个都积满了碎屑和粪便，是狗与主人的，有一些已干燥无味，有一些还是湿乎乎的。啊，那些没有人再去读的纸，可能从未被人读过。夜里一定有人在这里交媾并交换誓约。我进到其中的一个角落，也不是，我靠在墙上。我会更喜欢躺下来，没什么叫我别这样做。但这会儿我靠在墙上就满足了，脚离墙远些，是下滑的姿势，但我还有别的支撑点，拐杖的末端。然而几分钟以后我穿过死胡同到了另一个小教堂，这里，我觉得我会舒服些，并采用了同样的斜边姿势。首先我觉得是舒服了一点儿。但一点点地确信事情远非如此。天下着细雨，我摘掉帽子，让我皱巴巴满是裂纹滚烫的，滚烫的脑壳清凉清凉。但我摘下帽子也是因为它跑到我脖颈后面去了，因为墙的压力。我拥有两个把帽子摘掉的好理由，这并不太多，只一个的话我永远不会做出决定来我相信。我以慷慨无忧的动作一把把它扔掉，而它又反弹回来，从绳子或带子的另一端，在弹跳了几下以后一动不动了，贴着我的肋部。我最终开始思考，就是说更使劲地倾听。人们能在这儿找到我的机会很小，我很安宁，可以安宁到我所能为之持续的那么长时间。一瞬间我考虑到在此安定下来，以此作为我的宿处与庇护所，一瞬间。我从衣袋里拿出蔬菜刀并着手打开刀把。但痛楚立刻征服了我。我先叫了起来，然后停下，把刀重新关上放回衣袋。我的失望并不太大，从心底里我并没期待别的结果。就这样。我总是对重犯感到伤心，但生活就是由重犯组成的，人们可以这样说，而且死亡也一样应是一种重犯，这不会使我吃惊。我说过风停了吗？下起了细雨，这排除了任何有关风的思想。我的膝盖巨大，我刚刚看到，在抬起身的一瞬间。我的两条腿都像正义一样僵直，然而我有时候也抬一下身。您想怎么样呢。有时候我也记起我现时的存在就是我讲述的这个，对它我给不出任何微小的概念。但只是越来越远地，为了人们能够对自己说，需要时，它真的能还活着吗？或者还有，但这是一本日记，它马上就要终止了。我的膝盖巨大，我还时不时地抬起身，人们一下子看不清这会有什么含义。我却更加乐意地引证。我终于走出了死胡同，在那里时我半立半卧，可能刚刚还打了个盹，因为那是我睡觉的时间，我向着，您待好了，向着太阳走去，没有更好的东西了，风停了。或不如说是朝着天空不那么阴暗的区域走，天空被一大块乌云遮住，从中天一直遮蔽到地平线。就是从这块云中降下了我刚才提到的雨。您看到了一切是怎样联结在一起的。至于要断定哪一片天空不那么阴暗，这可不是一件容易的事。因为一眼望去，天空好像是一片均匀的昏暗。但是费力瞧瞧，因为在生活中我时不时地费力，我终于得出一个结论，就是说在这个问题上，我做出了一个决定。于是我可以重新上路，对自己说，我向着太阳走，就是从原则上说向东走，或也许是向东南，因为我不是在卢丝家了，而是重新在充分的先定和谐中，它奏出一个如此轻妙的音乐，它就是一个如此轻妙的音乐，对于懂得倾听它的人来说。人们常常以烦躁而匆忙的脚步来来去去地行走，在雨伞的遮蔽下，其防护作用也许没有雨衣有效。我还看见那些在树下和拱顶底下避雨的人。在那些较勇敢或是不那么娇弱的，来来去去地行走着的人中，及那些怕挨淋而停下来的人中，对自己说，我该做得像他们一样的人一定不少，所谓他们，当然是自己不属于的那个类别，至少我这样猜想。当然也一定有很多人为自己的应变本领感到满意，一边咒骂着使自己不得不采取这些本领的坏天气。但是当我盯着一个外貌悲惨，在一处遮檐下独自打哆嗦的小老头的时候，我突然想起了我遇见卢丝和她的狗的那天，我那构思好了的计划，而正是那场相遇阻止了计划的完成。于是我打算站到老人旁边，表现出如下的样子，我希望如此，对自己说，这一位真精明，我也要做得跟他一样。但我还没来得及跟他搭话，因为我想表现得自然一些，不马上开口，他就走入雨中离去了。因为所涉及的是敏感的话语，以它的内涵来说，弄不好会使人感到受到了冒犯，至少会感到很吃惊。所以把它放在合适的时候，用合适的音调说出来，这是很重要的。我对这些琐碎的细节感到抱歉，但是马上我们就会加快速度，会快得多。不会预先断言在一些难行而臭烘烘的通道上跌倒。但从另一方面说，正是这些通道产生了伟大的画面，以厌恶来粉刷的画面。是人来测定应该要粉刷的。于是轮到我独自站在遮檐底下。我不等待有什么人会加入进来，在我身旁，然而我并不排除这一可能性。这是对这一时刻我精神状态的一幅很好的讽刺画。结果是，我待在我所在的地方。我从卢丝家拿了一点儿银器，哦，不是什么了不起的东西，大部分是一些纯银的咖啡匙，还有一些我想不出做什么用但看上去挺有价值的小玩意。后者中有一个，有时还让我苦思冥想。它是由两个并联在一起的 X 做成的，在相交处，有一道横杠，看上去像伐木工的一只细小的山羊，所不同的是，真正的山羊的 X 并不是完美的 X，而是上部被截去些的，而我所说的小玩意的 X 是完美的，就是说由两个一模一样的 V 组成，上部的一个朝上开口，正像所有的 V，另一个下部的朝下开口，或者更确切地说是由四个纹丝不差的 V 组成的，两个是我刚刚讲的另外两个，一个在右，一个在左，开口各自向右向左。但也许在这里谈论左右上下是不合适的。因为这个小玩意不像有一个真正意义上的基部，而是能够以相同的稳定性竖立在四个基部的任何一个之上并且外观上毫无改变，真正的山羊可不是这种情况。这奇怪的用具，我在什么地方还拥有着它，我相信，我从未能下决心拿它去换钱，即使在我极度需要的时候，因为我弄不懂它到底能做什么用，在这个问题上拟想不出一个假设来。有时候我把它从衣袋里拿出来，用惊奇的目光瞧着它，我不说是充满感情的目光，因为我不可能具有感情。然而有一段时间，它使我产生了一种崇拜的情绪，我这样认为，因为我虽然几乎肯定这不是个圣物，但它一定具有什么很特殊的功用，这对于我永远是个不解之谜。于是我可以没有危险没完没了地进行疑问。因为什么也不知道，这没什么，什么也不想知道也没什么，但是什么也不能知道，知道什么也不能知道，从这里就寻致出了和平，在好奇的探索者的灵魂里。所以真正的除法开始于，比如说二十二除以七，最终本子里充满了真正的数字。但在这一问题上我不想肯定任何东西。相反地，我无可否认的是，被显然性，更确切地说被非常强的可能性所征服，我走出遮檐，开始缓慢地向前摆动，穿越空气。拄拐者的步态是，应该是，振奋人心的。因为那是一连串与地面相平的、小小的飞翔。在步履轻捷一只脚牢牢踏入地面之前不敢抬起另一只脚的人群中起飞，降落。即使他们最快乐的奔跑也不及我的蹒跚步履来得轻飘。但这是在分析基础之上的推论。尽管对于我母亲的忧虑，及想知道我是否就在她附近的欲望一直存在于我的头脑之中，但它们却开始减弱，也许是因为我口袋里的银器，但我想不是，那么也许是因为那是从前的忧虑，而头脑不能总是搅和同样的忧虑，而时常需要变换忧虑，以便在想要的时候，以加倍的精力重拾过去的忧虑。但是这里是论及新旧忧虑的情况吗？我想不是。然而呈示出证明来对我来说是困难的。我能够没有畏惧，对——没有畏惧地肯定的是，我对知道自己到底是在哪一个城里以及是否马上会见到我母亲以解决我们感兴趣的事物变得尤其无动于衷。甚至这件事情的性质也失去了它的力度，对我而言，尽管不是完全消融了。因为这不是一件小事，我执着于它。整个一生里我都曾执着于它，我相信。是的，从我能对什么事有所执着的意义上而言，所有如此持续至今的一生中，我曾执着于解决我母亲与我之间的此项事物，但我没能做成。我对自己说时间紧迫，马上就会太晚了，也许已经太晚了，来进行对此事物的处理，与此同时我却感觉到它偏向了另外的忧虑，另外的恐怖。不只是要知道我是在哪座城市里，它现在又使我迟迟不能从这座城市里出去，这是对的城市吗，在这里我母亲如此等待，也许一直在等待。好像是一直走到城市里去，我最终却会出去，肯定会这样。所以我专注地去做的就是这个，以我全部的科学，考虑到指引我的微弱光线向右侧的偏离。我是如此奋力而为，以至于在夜幕降临的时候，我真的到了城墙下，毫无疑问至少兜了四分之一的圈子，由于不懂得航行。但是应该提到我没有设法停留，闹出休息的故事，而只有些短暂的停顿，因为我觉得被跟踪，一定是错觉。但是在乡野存在着另一种公义和另一些公义执行者，在最初的时候。穿过城墙，我应该发现天空晴朗了，在披上另一块裹尸布之前，夜的裹尸布。是的，大块云层松散开了，让苍白垂危的天光从这里那里透出来。而太阳，不是清晰可辨的圆盘，而显现出黄色与玫瑰色的点点火光，朝天冲去，又落下，又冲去，总是越来越弱，越来越淡，最终不得不幽然而灭。这一景观，如果我对自己的观察和记忆能引以为傲的话，是我们那个地域的特点。

也许今天又不一样了。尽管我不太清楚的是，既然从未走出过我们那个地域，我又有什么资格谈论其特点呢。不，我从没逃离过，连这地域的边界在哪里我都不知道。我想很广阔。但这一信念没有任何严肃的东西做证据，它只是个简单的信念。因为如果我的地域不再处于我的脚步之下，我似乎应该感觉得到一种渐变。因为地域不是突然终结的，以我所知，而是逐渐互相交融在一起的。而我从未发现过这种情况。然而不管我走得多远，朝一个方向或朝另一个方向，天空总是一样的，大地也是一样，一模一样，日复一日，夜复一夜。从另一方面说，如果地域是逐渐互相交融在一起的，它还有待于证明，那么也有可能我多次走出过我的地域，却以为我一直就在其中。但是我更喜欢倚仗我简单的信念，它告诉我，莫洛伊，你那里的地域是广大辽阔的，你从来也没有出去过，将来也不会出去。你所流落的地方，在它遥远的边界之间，将总是同样的东西，丝毫不爽。这就使人相信我的移动丝毫也不归结于它使之消失的地方，而归结于别的东西，那被遮盖着的载着我的轮子，被难以预料的颠簸所遮盖，从劳累到休息，反之亦然，比如说这样。但是如今我不流浪了，不去任何地方，甚至几乎不动，然而什么也没变。我房间的，床的，身体的边界,与我地域的边界同样离我很遥远,在我那辉煌的时候。循环往复继续着,颠沛动荡,流离与露营,在没有疆界,没有孩子与母亲的埃及。当我注视着在床单之上的我的手的时候,它们已经兴冲冲地把床单弄皱,它们不是我的,比以往更不是我的,我没有胳膊,它们玩弄着床单,这也许是爱的嬉戏,也许一个要跳到另一个上面去。但这没有持续,我把它们一点点地拉向我,这是休息。对我的脚也一样,有几次,当我看见它们在床的另一头,一只有趾头,一只没有。这更值得注意。因为我的腿,在此代替了我刚才说的胳膊,如今两条都僵硬了并且异常敏感,我不该忘了它们像我能忘了胳膊一样,胳膊可以说是完好无损的。然而我忘了它们而注视着那互相观察的一对,在远离我的地方。但是我的脚,当它们重新变回脚的时候,我不把它们拉向自己,因为我不能够,而它们待在那儿,远离着我,尽管没刚才那么远。补充结束。但是人们会说一旦出了城市,我转身去看它,看它整体的一部分,人们会说在这一时刻我该会发觉它到底是不是我住的城市。事实并非如此,我徒劳地望着它,也许并没有发出任何形式的疑问,只为了促成命运,我转身而去。也许很简单,我只是假装看了看它。我没有看着我的脚踏车时的情感,不,完全没有。往前走并不让我十分反感,像我说过的那样,摇摆着掠地飞翔,在黑暗之中,在乡野荒芜的小径上。我对自己说我没有什么好担忧的,倒是我会使别人担忧,要是他们看见我。早晨的时候应该藏起来。人们醒来,精神抖擞,渴望秩序,美与正义,要求从对方那里也得到相同的东西。是的,从八九点到正午,是个危险的时段。但接近午间时就宽松了,最不留情的人也饱足了,他们回家去,尽管不是一切都完美,但人们已相当好地完成了任务,是有一些漏网之辈,但他们并不危险,每人清点自己的老鼠。下午开始的时候再重新来,在宴会、典礼、庆贺、演说都完了之后,但与上午相比这算不了什么,仅仅是运动而已。当然了,在四五点钟的时候就有了夜班的那一队人,他们很警觉,开始骚动。但那已是白天结束之时,阴影拉长了,墙变多了,咱们挨着墙根走,乖乖地弯着身子,随时准备着低三下四,没有什么好隐藏的,只是因为害怕才躲起来,既不朝左看也不朝右看,藏起来但没到激起人怒火的地步,随时会露面,微笑,倾听,伏地爬行,令人厌恶但又不是瘟疫,不似老鼠,更像蛤蟆。然后是真正的夜了,也是危险的,但有利于那些了解它的人,那些懂得朝它敞开,就像花朵朝着太阳伸展的人，那些他们本身就是黑夜，不管是在白天还是在黑夜的人。不，夜，它并不出色，但与白天相比它是出色的，特别是与上午相比它无可置疑是出色的。因为夜间继续的净化活动是由专职人员进行的，大多数情况如此。他们只做这个，而人口的大多数并不参加，周全考虑过后，他们更愿意睡觉。因为睡眠是神圣的，所以人们在白天处私刑，特别是在上午，在早餐与午饭之间。于是我精心做的第一件事，在荒凉的黎明中走了几英里之后，是寻找一处睡觉的地方，因为睡眠也是一种保护，虽然这看上去很矛盾。因为睡眠，如果它能激发人的捕捉本能，那它也能降低人的即刻而血腥的杀戮本能，任何一个猎手都会对您这样说。对于移动着，或在洞穴里窥探，蹲伏着的怪物，人们是没有怜悯之心的，而在睡梦中让人捉住的猎物却有运气受益于另外的使人平息怒火的情感。因为猎手也是弱者，内心深处藏着感情，只是抑制着那要漫溢出来的温柔与怜惜。多亏了筋疲力尽，或是备受惊吓后的甜蜜睡眠，众多凶恶的，本该斩尽杀绝的野兽，得以在动物园里安宁地等待它们寿终正寝的日子，那里在星期日及节假日的时候，爆发出孩子们及最有理智的大人们的纯真快乐的笑声。至于我本人，我总是宁可当奴隶也不愿意死，或更确切地说是被处死。因为死是一种我从未能为自己做出过一个满意的表述的状况,所以它不能在好与坏的结论中占据一席合法之地。而说到处死,我对它的理解是,它唤起了我的某种信任之情,不论对否,而这样的理解在某些情况下,似乎我是可以以此进行参照的。哦,这不是您那样的理解,而是我那样的理解,惊跳起来,汗淋淋地哆嗦着,没有丝毫的道理与冷静。但是我满意了。然而,为了让您瞥见我对于死的观念混淆到了何等地步,我坦率地告诉您,死作为一种状况,我不排除它比生还要糟的可能性。所以我觉得我不匆忙扑入其怀抱,并且在我忘了自身差点尝试的时候,及时抽身退步是正常的。这是我唯一的辩白。所以我定是悄悄地溜入了一个随便什么洞里并且等待着,一半睡觉,一半叹气,哼唧着笑着,或是手掠过身体,想看看它有无变化,等待着清早的狂乱平息下去。然后我重拾我的螺旋形路线。至于我变得怎么样了,去哪儿了,在接下来的几个月,如果不是几个月就是几年,我没有要讲述它们的意图。因为我开始受够了这些意图,而别的意图在召唤着我。但为了再涂黑几页纸,我能说的是我在海边度过了一段时光,没出意外。有一些人,大海得不到他们的钟情,他们更喜爱山或平原。就我个人而言,我在海边并不比在别处更糟。我的一大段生活都是在这颤抖的无垠前面汹涌起伏的,在大浪小浪及拍岸浪的魔爪的喧闹声中。我说什么在前面,是在同一个水平面上,在沙土或一个岩洞里摊开着的。在沙土中我自由自在,我让沙子从指间流过,在地上挖洞又马上把洞填满,或是随这些洞自己改变,我把满把的沙子扬入空中,又在沙滩上打滚。还有岩洞,夜里海上航标灯的光线射入其中,我知道在这里怎样做能过得不比别处更糟糕。我的土地不再伸展得更遥远了,至少一边是这样,这并不使我扫兴。我感觉到安慰,至少有一个方向我不能去,否则会浸湿自己,然后被淹没。因为我总是对自己说,先学习走路,再学习游泳。但您不要以为我们那个地域就截止于海岸了,那是个严重的错误。因为它也是这大海,这暗礁和远方的岛,及这些隐藏的海沟。我也一样漫游其中,用一种无桨小舟,但我自制了一支短桨。我有时问自己我是否从来也没有,再从这一漫游中归来。因为如果我看得到自己投入海洋,在波涛间长久地划行,那么我却看不到归程,看不到岩礁间小船的跳跃,也听不到脆弱的船底在沙滩上磨出的刺耳响声。我利用这段在海边的居留时光来储备可吮吸的石头。那是些卵石,可我称它们石头。是的,这一次,我做了充分的储存。

我把它们均衡地分别放入我的四只口袋，轮流地一个个吮吸。这里出现了一个问题，我首先是用如下的办法解决的。我放了十六块石头，每个口袋里放四个，两个裤子口袋，两个大衣口袋。我从大衣的右边口袋里取出一块石头，把它放进嘴里，我从右边裤兜里拿出一块石头，放入右边大衣兜里，以替补这一块石头，我用左边裤兜里的一块石头替补右边裤兜里的石头，我用左边大衣口袋里的一块石头替补左边裤兜里的石头，当我吮吸完毕以后，我再用嘴里的石头替补左边大衣口袋里的石头。这样我的四只口袋里每一只都总是有四块石头，但不完全是同一些石头。当我想再吮吸的时候我再从右边大衣口袋里拿，并可以肯定不会拿最后那次吮吸过的石头。并且，在我吮吸的时候，我再次安排别的那些石头，用我刚刚解释过的方法。如此这般地继续下去。但这种解决办法只能让我满意一半。因为我不能排除这种可能性，就是出于极不寻常的偶然性，循环的总是相同的四块石头。如果是这种情况，那么我不是轮流地吮吸十六块石头，而事实却是，轮流地，总是吮吸同样的四块石头。但是在吮吸之前，我在口袋里使劲把石头和匀，之所以这样做，是在运送它们之前，希望能够均匀地分配石头的循环，从一个口袋到另一个口袋。

但这只是一个权宜之计,我这样的人是不会长久地对此满意的。于是我开始寻找别的办法。我首先问自己,与其一块一块地运送,难道不是四块四块地运送更好吗,就是说,在我吮吸的时候,从大衣右边口袋里取出剩下的三块石头并把右边裤兜里的四块石头放入其中,这少了的四块石头用左边裤兜里的四块石头补充,而这四块石头由左边大衣口袋里的四块石头补充,而最终补充这最后的四块石头的是原本我大衣右边口袋里的那三块石头以及,我将要吮吸完的,嘴里的那块石头。对,我首先认为这样一来我能得到一个最好的结果。但经思考以后,我不得不改变这一看法,我承认石头的四个一组的循环会出现与石头的单个循环一模一样的现象。因为如果我得以保证每一次,从大衣右边的口袋里,拿到与先前在那里的完全不同的四块石头,同样的可能性仍然存在,就是在每一组的四块石头中,我总是碰到同一块石头,其结果是,与其是轮流吮吸十六块石头,像我希望的那样,我实际上只吮吸了四块,轮流地,总是相同的四块。所以我应该在循环方式之外寻找。因为不管我用什么方式循环石头,都会碰到同样的随机性。很显然只要我增加口袋的数目就能一下子增加对石头的利用机会,像我打算去做的那样,就是说一块一块地一直到石头的数目耗尽为止。我将有八只口袋，比方说，不再只有四只，即使是最坏的偶然性也不能阻止我轮流地在十六块石头中至少吮吸八块。总之为了完完全全地放下心来，我应该有十六只口袋。有很长一段时间我都停留在这一结论中，就是至少要有十六只口袋，每只有它的石头，否则我永远也无法达到预想的目的，除非发生一个异乎寻常的偶然现象。如果我把口袋的数目增加一倍可行的话，为什么不把口袋一分为二，比方说用几个别针，那么把口袋数目增加四倍看来是超出我的能力之外的。我不会煞费苦心只达到一半的尺度。因为我开始丧失了对尺度的感觉，自从我在这一事件中苦苦奋争以来，我对自己说，要么全部，要么一切都放弃。如果有那么一瞬间我考虑在石头与口袋的数目之间建立一个更加均衡的比例关系，使石头的数目屈从于口袋的数目的话，那也只是一瞬间而已。因为如此一来我就承认了自己的失败。我坐在沙滩上，面向大海，十六块石头摆在眼前，我带着怒气与焦虑观看着它们。因为我越是很困难地坐在椅子里或沙发上，因为我那条僵硬的腿您懂吗，我就越是容易坐在地上，因为我那条僵硬的腿和另一条正在僵硬的腿，因为正是在这个时期我的那条好腿，好腿是就它不是僵硬的意义上而言的，也开始变硬了。我应该在膝弯处有一个支撑，您懂吗，甚至在整条腿下面有个支撑，地的支撑。正当我如此注视着石头，思索着一个个不尽完善的下注方法，碾碎一把把的沙子，它们在我的指间流泻重新落到沙滩上，对，正当我的头脑与一部分身体如此这般处于良好状态的时候，有一天在微弱的光芒之中，突然一个念头降临于我，我也许能够不增加口袋的数目，也不减少石头的数目就能达到目的，只要牺牲一下装载的原则就行了。这一启示马上就在我的身体内部欢唱起来，就如《以赛亚书》或《耶利米书》中的一节经文一样，我花了一些时间来探索其中的含义，特别是装载的意义很长时间以来对我而言都是晦暗不明的，我对它毫无了解。但是最终我相信自己猜出了装载并不意味着别的，没有更玥白的了，那就是把十六块石头分成四组，每组四块，每个口袋里装一组的分配方法，拒绝考虑其他的分配方法，从而使我的所有计算全部成了错误而把问题弄得无法解决。就是从这一理解开始，不管它是不是对的，我最终找到了一个解决办法，一个肯定不很优雅，但是牢靠的解决办法，牢靠的。现在，存在，甚至一直存在着，其他的解决这一问题的方法，与我要试着描述的方法同样牢靠，但是更优雅，我愿意这样认为，我甚至对此深信不疑。我也认为以更多一点的固执，更多一点的坚持，我能自己把它们找到。但是我累了，累了，我疲惫地满足于第一种办法是个办法，就这一问题而言。且不去强调我在豁然明朗之前，经历的一个个阶段，一重重磨难，它是这样的，我的办法，以它如此的丑态而著称。只要（只要！）举出例子就行了，由此开始，把六块石头放在大衣的右边口袋里，因为总是从这只口袋里石头开始被输送，五块放在裤子的右边口袋里，最后的五块放在裤子的左边口袋里，加起来是，两倍的五块加上六块是十六块，没有一块，因为没剩下一块，在我大衣的左边口袋里，它现在是空的，是说空无石头，因为它惯常装的物件，以及暂时装在里面的物件一直都在里面。因为您因为我会把蔬菜刀、银器、号角和其他的，我还没有提到，可能也不会提到的东西藏在哪儿呢？好吧。现在我可以开始吮吸了。好好看着我。我从大衣右边口袋里取出一块石头，吮吸它，不再吮吸它了，把它放入大衣左边的口袋里，那只空的（空无石头的）口袋。我从大衣右边口袋里取出第二块石头，吮吸它，把它放入大衣左边的口袋里。如此继续一直到大衣右边的口袋空了（除了它惯常有的及暂时放在那儿的物件），我刚吮吸过的六块石头，一块接一块地,都到了大衣左边的口袋里。那么我停一停,集中精神,因为不能做出蠢事来,我把裤子右边口袋里的五块石头,运送到大衣右边的空了的口袋里,我把裤子左边口袋里的五块石头补充到裤子右边的口袋里,我再把大衣左边口袋里的六块石头补充到裤子左边的口袋里。这样一来我大衣左边的口袋里又重新没有了石头,而大衣右边的口袋里以良好的方式又重新有了,我又开始轮流吮吸与我刚吮吸过的石头完全不同的石头,一个娈着一个,并逐渐把它们输入大衣左边的口袋里,可以确信,只要遵循这一顺序原则,我不会像以前那样吮吸相同的石头,而是不同的石头。当我大衣右边的口袋重新空了(空无石头),我刚吮吸过的五块石头全都无一例外地到了大衣左边的口袋里以后,我就着手于与刚才一样的,或类似的对石头的分配,就是我运到大衣右边的重新可使用的口袋里,裤子右边口袋里的五块石头,我再用裤子左边口袋里的六块石头代替它们,我再把大衣左边口袋里的五块石头放入裤子左边的口袋。然后我就又可以重新开始了。我应该再继续讲下去吗?不,因为显而易见,在下一个吮吸与输送的轮回结束的时候,起始的条件又将具备,就是在循环开始的口袋里又有了六块石头,在我旧裤子的右边口袋里又有了接下来的五块石头，而其左边的口袋里又有了最终的五块，我的十六块石头在完美无瑕的进程中只一轮就被吮吸完毕，没有一块被吮吸过两次，没有一块未被吮吸。在重新开始的时候，我确实难以希望以同样的顺序吮吸我的石头，比如说在第一轮中的第一块、第七块和第十二块，在最坏的情况下很可能分别是第二轮中的第六块、第十一块和第十六块。但这是一个我无法避免的缺陷。如果在循环总体上不得不存在着相关的混乱，那么至少在循环的内部我是可以安心的，总之能安心多少就安心多少，在这类事物中。因为为了使每一循环都一样，至于我嘴里石头的交替顺序，上帝知道我是否在意，我或是应该有十六只口袋或是应该给石头编号。因为还不光是给石头编号，我还得在每次要把石头放进嘴里的时候，记住应有的号码，并在我的几只口袋里寻找。这会使我在极短的时间里失去对石头的品味。因为我永远不能肯定自己不会弄错，除非做做记录，在我吮吸它们的时候，逐一登记下来。我认为我是做不到的。不，唯一完美的解决办法是拥有十六只口袋，对称地分布，每一只都有自己的石头。那么我既用不着号码也用不着思考，而只要在我吮吸一块特定的石头的时候，使另外十五块石头，每块都从一只口袋里往前排，这是很精细的活儿，您同意的话，但它是在我力所能及的范围之内的，并且在我想要吮吸的时候可以永远从同一只口袋里汲取。这样我就可以安心了，不论是在每一个独立的循环的内部，还是在循环的整体上，它该是永无止境的。然而我自己的方法，尽管是不完美的，我还是高兴独自发现了它，是的，我挺高兴的。如果说它不如我在首次发现它时的热度中以为的那样牢靠，那么它的粗鲁性却保持着完整。它的粗鲁特别表现在这里，依照我的观点，石头不均匀的分布对我来说是难以忍受的，从身体的方面看来。确实在某一时刻一种平衡得以确立，在每次循环初始之际，即第三块被吮吸之后，第四块被吮吸之前，但这一平衡并不能持续多久。在其余的时间里我感觉到石头的重量拉着我，一会儿向右，一会儿向左。所以在我放弃装载法的时候，我随之放弃的是原则之外的东西，这是出于身体的需要。然而吮吸石头像我说过的那样，不是随随便便，而是有一定的方法，我认为这也是一种身体的需要。所以这是两个身体上需要的不可调解的冲突。这种事情时有发生。然而事实上我一点也不在乎自己的不平衡，被拉得向右，向左，向前，向后，同样也完全不在乎所吮吸的石头每次都不一样还是每次都一样，它们不是经历了一个又一个的世纪吗。因为它们的味道是一模一样的。如果我捡了十六块石头,那可不是为了以这样或那样的方式来装载我自己,或是为了轮流吮吸它们,而只是为了有一个小小的储蓄,为了不会缺乏。但是即使缺乏,事实上我也是毫不在乎的,没有了就没有了呗,我不会觉得更糟,或只会觉得有一点儿糟。我最终得以调和自己的办法是,把我所有的石头全部抛入空中,除了一块,我把它时而搁在一只口袋里,时而搁在另一只口袋里,自然没过多久我就把它弄丢了,或是把它扔了,或是给人了,或是咽下去了。那是海岸上比较荒凉的地带。我不记得在那里被人真正地粗暴对待过。在苍茫无垠的沙土中,我只是个小黑点,怎么会有人想去伤害它呢?人们会走上前接近它,不错,想看看那是什么,是不是从暴风雨中遇难的船只那边漂来的什么有价值的宝物。但当发现这一残骸过得还凑合,尽管穿着寒酸,人们就离开了。年老的女人们,还有年轻的,我的老天呀,来这里捡拾枯枝,最初瞥见我的时候,她们都激动起来。但那总是同一些人,我尽管到处换地方,她们最终还是弄清了我是什么,也就都离得远远的了。我想她们之中的一个,有一天离开了自己的伙伴们,朝我走来送吃的东西给我,我没有表情地注视着她一直到她退去。

对，好像那个时期是发生过一个类似的事情。但也可能我把它与从前的另一次驻留弄混了，因为那一次应该是最后一次，我的倒数第二次，在海边，永远也没有最后一次。不管怎样，我看见一个女人，在朝我走来的时候，时时停下来又朝她的同伴们走去。这些女伴像母羊一样紧紧挨在一起，看着她离去朝她打着鼓励的手势，毫无疑问嬉笑着，因为我想是听见了笑声，在远处。然后我看到了她的背影，她原路退回去，现在她朝我转过身来，但没有停下。但也许我把两个场景、两个女人合成一个了，一个朝我走来，怯生生，在同伴们的叫声与笑声之中，另一个离我而去，脚步比较坚定。因为当人们朝我走来的时候，大部分情况下我能看到他们从远远的地方过来，这是海滩上的好处之一。我看见他们像远方的黑点，我可以观望着他们的行迹对自己说，他越来越小，或，他越来越大。是的，出其不意地被捉住，在这种状况下是不可能的，因为我也经常到内陆里去。我告诉您件事吧，在海边我看得更清楚！没错，在这片可以说是没有物体没有垂直面的区域里朝着各个方向搜寻，我的那只好眼更好了，至于那只坏眼，有些日子它也像是见好了。不仅是我看得清楚了，而且我也不那么困难地就能给我见到的稀少的东西套上个古怪而可笑的名字了。这就是在海边的一些有利和不利之处。或者也许是我自己改变了，为什么不呢？早晨，在岩洞里，有时甚至是夜里，当暴风雨席卷的时候，我感到自己勉勉强强地躲避于物与人的袭击之下。但这里也要花钱。在盒子里，这些岩洞里，也要花钱。我愿意花，花一段时间，但不能永远花下去。因为用那么一点儿养老金，买那些总是同样的东西，那是做不到的。不幸的是除了静静地腐烂的需要之外，我还有一些其他的需要，我用词不当，我自然说的是我的母亲，自一段时间以来，她的形象在闪现，现在重又搅扰着我。所以我又去了内陆，因为我的城市不是确切地在海边上的，不管在这一问题上人们可以怎样说。为了到城市那里去就得从陆地上走，至少我不认识别的路。但是在城市与海之间有一些沼泽，依照我遥远的记忆，而我的部分记忆深深地陷于最近的事件中，那里一直有个排水引流的问题，肯定用的是沟渠，或是把沼泽地改造成一大片辽阔的港口工地，或是把工地建在木桩之上，以便用这样或那样的方法进行开发利用。趁这个机会人们也许消灭掉了他们广大城区的几个进出口处的一片臭气熏天雾气腾腾的沼泽地所引起的公愤，那里每年都有难以计数的人的生命被吞噬，现在我记不起统计数字了,肯定永远也记不起来了,我对问题的这一方面无动于衷。一些工程确确实实开始了,其中有些工地从冷言冷语中,失败中,人员的缓慢消亡中和政府当局的冷漠中幸存了下来,一直到今天,我从不会想到去否认这些事实。但是从这里就断定大海就在我城市的脚底下来回洗刷,那可是不尽其然的。从我这方面来说,我永远也不会把自己与如此的歪曲(对真理的歪曲)联系起来,除非是出于迫不得已或是出于希望事情如是的需要。对那沼泽我了解一点儿,为了曾在那里谨慎地冒冒生命的危险,一次又一次地,那个时期我的生活比我在这里拼拼凑凑的生活要更富于幻想,我是说更富于某一些幻想,而在另一些幻想上却是贫乏的。这样说来没有直接进城的方法,不能从海上走,只能从北边或南边上岸,然后再沿路走,您瞧瞧,因为火车交通还只是停留在计划之中,您瞧瞧。我的进程,它一直是缓慢而艰难的,现在更加缓慢而艰难了,因为我那条短而硬的腿,很久以来我都以为它已经达到了僵硬的极限,但去你的吧,它现在比任何时候更硬了,我还以为是不可能的呢,同时它还每天都缩短一点儿,特别又因为另一条腿,本来是好的,也迅速变硬了,不幸的是,它并不缩短。因为要是两条腿同时缩短,并以相同的速度恶化，那并不可怕，不。但是当只有一条缩短，另一条却保持着稳定的状态，那可就值得担忧了。哦，我并不真正担忧，但我却被困住了，是这么回事。因为我不知道在我的两次飞摆之间，该支在哪只脚上。让我们细看一下这一窘境。已经硬了的腿，您听好了，它使我疼痛，这是没的说了，平常是另一条腿当我的支柱，或进行弯曲。但现在这一条腿，肯定是因为僵硬，在行走之时在神经与筋腱之间引发一番骚乱，开始给我造成比另一条腿更多的痛苦。这倒霉事，但愿别把我这人都赔进去。因为，旧的痛苦，您了解，我可以说是已经习惯了，对，可以说是。但新的这个，尽管是同一类型的，我还没有时间调试自己来习惯它。再说别忘了有着一条坏腿和另一只差不多是好的腿，借助于我的拐杖，只用这条好腿，在最大程度上，把痛苦降低到最小，我还是可以顾惜那条坏腿的。现在我不再具备这一手段了！因为我不再有一条坏腿和一条差不多是好的腿了，现在两条都成了坏腿。而最坏的一条，以我的感觉，是原来的那条好腿，总之相对而言是好的那一条，我还没能忍受它的衰变。以至于，从某一方面说来，您愿意的话，我总是有一条坏腿和一条好腿，或是不那么坏的腿，只是现在不那么坏的腿不是原来的那一条了。于是在双拐拄地的瞬间,我经常想支在原来的那条坏腿上。因为尽管它异常敏感,但还是没有另一只敏感,或它们是同样敏感的,如果您愿意的话,但我并不觉得这样,因为它坏得更早。但我不能!什么?支在那条坏腿上。因为它缩短了,别忘了,而另一条,在僵硬的同时,还没有缩短,或是缩短了但是远远落后于它的同伴以至于完全一样,完全一样,我糊涂了,没关系。要是我能够弯曲它,在膝盖处,或哪怕是在胯骨处,我还可以把它调得跟另一条一样短,在我支在真正的短腿上的时候,在重新摆起之前。但是我不能!什么?弯曲。它已经硬了,怎么弯曲呢?所以我不得不用原来那条腿,不管它变成什么样了,至少从知觉上说,这是两条腿中最坏的一条,最需要照料的一条。确实有好几次,当我幸运地碰到形成适当的弓形的路面,或是利用一条不太深的沟或别的什么起伏不平的地方,我尽量使我的短腿得到一个暂时的延长,来代替另一条腿支撑。但是它没有被用上已经那么久了,它都不知道该怎么做了。我相信一叠盘子都比它能更好地支撑我,而它是在我还是胆小鬼的时候好好地支撑过我的。另外还出现了,我是说在我利用地势的时候,出现了另一个不平衡的因素,我指的是拐杖,它们应该一根长一根短,以阻止我在垂直的方向倾斜。不是吗？我不知道。再说属于我的路大多是森林小径，可以想见，表面的起伏多种多样，如果这一多样性并不缺乏的话，那么它的复杂性和路线的极端不规则性使我对它们难以利用了。但说到头来，我的腿可以停工休息还是必须工作，在疼痛的问题上，有什么大的不一样吗？我想没有。因为什么也不做的那条，它的疼痛是持续而单调的。另一条因被迫工作而痛苦大增，但在一瞬间即工作暂停之际，却体会到了痛苦的减轻。但我是人类，我相信，我的行进受到了影响，因这类事情，这一始终是缓慢而艰难的行程，不管我能怎样说，变成了，恕我冒昧，变成了真正的髑髅地的受难，没有停留的边界，没有被钉上十字架的希望，我这么说不是假谦虚，也没有西门，这迫使我频繁地歇息。是的，我的行进迫使我越来越经常地停下来，这是唯一的行进方法，停下来。尽管我在这些踟蹰的意图中没有再深入讨论下去的欲望，虽然值得讨论，这些古昔赎罪的短暂时刻，我还是说几句吧，我有这番好意，为了使我的故事，它在别的地方是那样清晰，不要在此幽暗中终结，在这些高深林木，叶簇巨大的幽暗中，在其间我踟蹰而行，侧耳倾听，躺下，直起，倾听，踟蹰而行，有时候自问，我需要指出吗，自问是否能重见那可憎的一日，总之不怎么被爱的一日，在最后的树干间苍白地紧绷着，还有我的母亲，为了解决我们的事务，还是如果那样做不是更好的话，总之也是一样好，就是用一根藤条把自己吊在树枝上。因为那一日，坦率地说我对它并不指靠，还有我母亲，我能指望她一直等着我吗，这么久以来？还有我的这条腿，我的两条腿。但是自杀的念头并不太纠缠着我，我不再知道为什么，我以为我知道，但想一想我并不知道。尤其是自缢的念头，它非常诱惑人，但经过短暂的交锋，我总是胜利的。告诉您件事，我的呼吸道从未有过什么事，除了这一系统内原有的毛病。是的，有些日子当空气，据说它含氧，当它不愿降临于我的时候，总算降下来以后，也不愿被排出，我可以数出这些日子，我本该数出这些日子来。啊，对，我的哮喘，有多少次我动了心要了结它，只要割断一根颈动脉或股动脉。但我坚持住了。声音泄露了我的情况，我变得很暴躁。这尤其会发生在夜里，我不知道我应该为此感到庆幸还是不满。因为在夜里，颜色的骤变不发生多大的影响，相反一点点不同寻常的声音都会被捕捉到，因为夜的宁静。但这只是发作，不是什么大不了的事，发作，比起所有那些永不止息，在铅体的表面，在地狱般的深处，不知潮起潮落的事物。没有一句话,没有一句话反对发作,它抓我,拧我,最后温和地放开我,没有向人显示任何征兆。我用大衣裹住脑袋,用它堵住猥亵的窒息声,或者我把这声音掩饰成阵阵咳嗽,咳嗽是走遍天下都被许可的,唯一的不利是会引起人们的同情。这也许是需要您注意的时刻,这样做永远不会为时太晚,当说到我的行进减慢,是因为我好腿的恶化的时候,我只讲了一小部分事实。因为事实上我还有别的薄弱环节,这里,那里,它们也如预料的那样,越来越坏。但是出乎意料的是它们变坏的速度,自我离开海边之后。因为只要我待在海边,我的薄弱环节,在变坏的同时,这是早就预料到的,只是无知无觉地进行的。以至于我几乎不能肯定,在我感觉到屁眼的时候,比如说,瞧,它比昨天更坏了,都不能说是同一个眼了。很抱歉又回到这个可耻的洞,我的灵感想要这样。也许应该少去看它名字的缺陷而多看看那些我缄口不言的东西的象征,其尊严也许应归于它的中心位置及它的我与另一堆臭屎间的纽带一样的外观。人们不了解它,依我看来,这一小眼,人们叫它屁眼并装出蔑视它的样子。然而它不更是真正的生命之门,而著名的嘴只是仆役的入口处吗?什么也不侵入它,或极少这样,即使侵入也被马上赶出，它几乎不需要任何东西。几乎所有从外部进入它的东西都让它作呕，而从内部进入它的东西我们也不能说它特别能保持新鲜。这不正是意味深长的事吗？事情本身会作出评价的。但我要试着在将来给它少一点儿的位置。这对我是容易的，因为将来，它不可捉摸。而对于放在重要一边的事，我了解自己相信，在这一现象上得到的只是相互矛盾的资料，这更好。但是为了回到我的薄弱环节，我重复一下，在海边它们有了发展，是的，我没有注意到任何不正常的现象。或者是我注意得不够，我整个人都在那条出色的腿的变化上，或者是真的没什么好注意的，在这一问题上。但一离开海滩，在恐惧的追赶之下生怕有一天醒来，远离我的母亲，我的双腿跟我的双拐一样硬了，它们向前一跃，我的薄弱环节，从薄弱的变成真正垂危的，带着所有的不便，当它们不是在要害之处的时候。我是处于脚趾大量脱落的那一时期，是在旷野上。您会说这是腿的故事，没什么重要的，既然我不能让那只脚着地。好吧。但您知道是哪只脚吗？不，我也不知道。注意，我要告诉您。但您是对的，这不是真正意义上的薄弱环节，我的脚趾，我以为它们状态良好，除了几个鸡眼、老茧和嵌入肉里的指甲还有爱抽筋的毛病以外。不，我真正的薄弱环节在别处。如果我没有立即列出惊人的单子的话，那是因为我不会列出来。事实上我永远不会列出来，不对，可能会的。再说我不想在我的健康状况上给人以错觉，我的身体虽然不像人们所说的棒极了，或咄咄逼人，说到底却是出奇地硬朗的。否则我怎么会达到我已达到的如此高龄？是因为道德品行吗？独有的卫生状况吗？新鲜空气？低量饮食？缺乏睡眠？孤独？被虐待？长久而沉默的叫喊（叫喊是危险的）？每日想被大地吞没的愿望？来吧，来吧。命运是记仇的，但还没到如此地步。看看妈妈。她死于什么，最终？我问自己。就算人们把她活埋了，我也并不感到惊讶。啊，她好好传给了我，浑蛋的、她肮脏的永存的染色体。使我从幼小的时候起，就长满疙瘩，多好的事！心脏在跳动，但它是怎样跳的。我的输尿管——不，别谈这事。还有阴囊。还有膀胱。输尿管。还有龟头。圣母玛利亚。我告诉您一件事，我不再尿尿了，我以名誉向您担保。但是我的包皮，一言以蔽之，白天黑夜地渗出尿液来，总之我相信那是尿液，闻上去是腰子味的。我曾经失去过嗅觉。在如此种种状况下我们能够谈论尿尿吗？看啊，我的汗液也是一样，我没完没了地出汗，有一股怪味。我觉得我的总是丰盈的口水，也这样夹带而去。啊，我摆脱掉了我的残渣，尿毒症可不会使我一命归西。人们也会把我活埋了，出于对正义的绝望，如果存在着一种正义的话。那张关于我薄弱环节的单子，我永远也不会列出，怕我就此结束，也许有一天我会列，当涉及我的财产清单的时候。因为那一天，万一它降临的话，我将不像今天这样那么害怕结束，如果说我不确切地觉得自己还在全程的起点上的话，我也不抱有认为自己已近终点的奢望。结果是我节省力量，为了冲刺。因为当时间的铃摇响的时候，却不能冲刺，不，那还不如放弃。但是放弃是被禁止的，哪怕只停一刻。于是我等待着，在谨慎前行的时候，等待那时钟说，莫洛伊，别管自己了，是结束的时候了。我是这样论证的，借助于与我的情况不那么相符的图景。一种情感不再离开我，我不知道为什么，几乎不再离开我，就是觉得有一天要说出我全部拥有之中所有给我留下来的东西。但是为此我必须等待，为了肯定不能再获得，失去，抛弃，给予。那么我将可以说出，不怕会弄错，那给我留下的，最终、我的财产。那将是结算。而从现在到那时之间我可以变穷，变富，哦，不是到我的处境变化的地步，只是刚够阻止我，现在就说，我全部拥有之中所留下的，因为我还没有全部拥有。但我不懂这一预感，我相信最好的预感经常碰到这样的情况，就是人们什么也弄不清。那么这是一个真正的预感，可加以验证。但是错误的预感是较易于理解的吗？我相信，是的，我相信所有错误的东西都更易于缩减为清楚而显明的概念，比所有其他的概念都要显明。然而我会弄错。但我不是一个预感造物，而只是有感造物，或不如说是外感造物，要是我敢这样说的话。因为我事先就知道，这就使我避免产生预感。我还会走得更远，（这使我付出怎样的代价？）我只在事先知道，因为事情发生时我就不知道了，您可能已经注意到了，或只有在超人的努力的代价之下，并且事后我也不知道，我重新堕入无明之中。所有这一切凑在一起，如果可以的话，一定能解释很多事情，特别是我令人吃惊的年迈，在某些地方还是苍劲的，设想一下我的健康状况，不管我在这上面说过什么，都不足以表现出来。这仅仅是单纯的设想，并不保证什么。但我说如果，以我达到的境地，我的行进是越来越缓慢而痛苦的话，那不只是因为我的腿，也是因为我所谓的众多薄弱环节，跟腿毫无关系。至少假定，没有别的说法，它们及我的双腿显示了同样的症候群，在此状况下这本可达到一个可怕的复杂结果。事实是，我为此感到遗憾，但是现在补救已经太晚了，那就是我太强调我的腿了,在这一整个的漫游中,而牺牲了其余的。因为我不是个普通的残废,远远不是,有些日子我的腿还是全身最好的部分呢,是头脑做出这抽象的概念,它能得出如此这般的结论。所以我不得不越来越频繁地停下来,我对此不厌其烦地重复,并且躺下来,不管规矩如何,一会儿仰着,一会儿趴着,一会儿侧这边,一会儿侧那边,可能的话脚搁得比头高,为了使血液不凝住。当一个人腿是硬的时候,要躺得脚比头高可不是件轻而易举的事。但您放心,我办得到。一旦涉及我的舒适,我不顾辛苦。森林在我周围,还有树枝,相形于我,交织缠绕在一个惊人的高度上,为我挡住日光与恶劣天气。有些日子我只走三四十步,我发誓。要说我在穿不透的黑暗中踉跄,不,我做不到。我踉跄,但黑暗不是穿不透的。因为一层蓝色的阴影笼罩其中,超出我的视觉需要。我很惊奇这阴影不是绿色的,而更近于蓝色,但我看它是蓝的,它也许就是蓝的。太阳的红色与叶子的绿色混起来,显出蓝色的效果,我是这样推断的。但有时候。有时候。这小小的字眼里含有怎样的好意,怎样的凶残。但有时候我碰到类似于交叉路口的东西,一个星状地带,就像在哪怕是最荒无人烟的森林里也会出现的那样。于是我朝着从星状射出的小径有条理地转，带着我不知道是什么的希望，我围着自己绕一整圈，或不到一圈，或一圈多，这些小径是如此相似。在这些地方阴影不那么浓厚，我急于离去。我不喜欢阴影减弱，这现象很可疑。在森林里我自然与人有过几回相遇，别担心，没什么严重的事。特别是遇见过一个烧炭工。我本可以喜欢上他，我相信，要是我小上七十岁的话。但不一定。因为他也得小上那么多，哦，不完全是一样多，但是很多。我从来就没确实有过过多的温情，但我还是有自己那小小的一份，在我还年幼的时候，而这一份总是趋向于年老的人。并且我相信我曾有时间爱过他们中的一两个，哦，当然不是真正的爱，跟那个老女人没有任何关系，我又忘了她的名字了，罗丝，不是，反正您知道我说的是谁，但不管怎样，怎么说呢，是温柔的，就像美妙之乡的未婚人一样。啊，我很早熟，以我的年幼而论，长大得又过早了。现在他们讨我厌，这些老朽的，跟那些年轻的未成熟的一样。他匆忙向我走来，乞求我住进他的草棚，相信我的话，如果您愿意。一个完完全全的陌生人。一定是得了孤独症。我说他是烧炭的，但实际上我一无所知。我在什么地方看到了烟雾。这是从不会逃脱我注意力的东西，烟雾。跟着是一场漫长的对话,时而被呻吟间断。我没能问出去我的城里的路,它的名字我一直想不起来。我问他去城里的最近的路,我找出了适当的词,以及语调。他什么也不知道。他肯定是生在森林里又在森林里度过了整整一生的。我恳求他告诉我怎样尽可能地赶快离开森林。我变得侃侃而谈。他的回答异常含糊。或是我全不懂他说的是什么,或是他全不懂我说的是什么,或是他什么也不知道,或是他想把我留在身边。我谦逊地倾向于这四种假设,因为当我要离去的时候,他抓住了我的袖子。我灵敏地抄起一根拐杖,在他的头骨上猛击了一下。这使他沉寂了。老而恶心人。我起身重新上路。但是刚走了几步,在那一时期几步对于我可算是一回事呢,我又转回身来,转回他身边检查一下。看到他一直在呼吸,我满足于在他的肋部踢了热烘烘的几脚。我是这么做的。在离他身体几步远的地方,我细心地选择我的位置,这时当然是后背冲着他的。然后,在双拐间好好固定好位置,我开始摇摆,向前,向后,并着脚,不如说更接近于并着腿,因为以我腿的状况,我怎么能并上脚呢?然而以腿的状况,又怎么能并上腿呢,一条挨着一条?我并着它们,这是我所有能告诉您的。就这点。或是我没并着腿。这有什么重要呢?我摇摆着,这才是重要的，幅度总是越来越大，一直到，我判断那一时刻来临了，我以全部的力量朝前摆，瞬间之后，反朝后，从而达到了预期的结果。我是哪儿来的这股活力？也许它来自我的虚弱。这下撞击当然使我跌倒了。我栽了个筋斗。事情不会两全其美，我经常注意到这点。我休息休息，然后爬起来，捡回我的拐杖，又使自己置于那人身体的另一边，开始有条不紊地进行同样的练习。对于对称我总是有强迫症。但是我对准得低了一些，我的一个鞋跟陷在了软绵绵的东西上。反正，如果我错过了他的肋骨，我却一定触到了他的肾脏，哦，不是以那足以使之爆裂的力量，不，我想不是。人们想象，当一个人又老，又穷，又残疾，又害怕的时候，就没有能力自卫了，总的来说这是对的。然而在条件优越的情况下，挑衅者既愚蠢又笨拙，就说与您自己相称吧，又是在偏僻的地方，有时您被允许显示一下自己是不好惹的。毫无疑问是为了记起这一经常被遗忘的可能性，我才在这一像所有有教益或警示意义的事件那样，本身并不值一提的事上耽误时间。可是至少我吃什么呢，时不时地？一定是，一定是，一些根块，浆果，有时一颗小桑葚，有时哆嗦着吃个蘑菇，因为我不会辨认蘑菇。还有什么，哦，对了，角豆树的果实，山羊最爱吃的。总之我所能找到的,森林盛产的好东西。我曾经听说,或确切地说是在什么地方读到过,在我还有意增长知识的那些时候,或是为了解闷,为了昏沉,为了消磨时间,听说在森林里,人以为是一直往前走的,实际上却是在兜圈子,我就竭尽全力地兜圈子,希望这样能一直往前走。因为我不再那么傻而变得精明了,在我每次尽力的时候。我掌握了,在生活中对自己有用的全部讯息。那么在我努力兜圈子的时候,如果我不是沿着笔直的路线前行的话,至少我没有兜圈子,这已经是回事了。如此这般,一天天,一夜夜,我希望能有一天,走出森林。因为我的地域不只是森林,远远不是。还有平原、山峦和大海,一些城市和乡村,大路、小路把它们连接起来。我更加确信有一天我将走出森林,我确信我曾经走出过,不止一次,我了解还没有去做已经做过的事的困难。那么从前的事情是有点儿不一样的。可是我大有希望看到有一天,穿过像黄铜雕出来的叶片,一动不动,任何气息都不使之抖动的叶片,奇异的平原之光的震颤,在急速而苍白的涡流中。但是这一天,我也感到畏惧。以至于我毫不怀疑它不会到来,或早或晚。因为森林里不是那么糟,我可以设想更糟糕的,我可以永远在这里待下去而没有太多的遗憾,不太为日光与平原及我的地域的别的适意而落泪。因为我了解，我地域的适意，我认为森林也比得上它。不仅比得上它，依我看，它还具有如下的益处，就是我身在其中。那么这不是一个奇怪的理解事物的方式吗。可能还不是那么突出。因为在森林里，这个不比别处坏也不比别处好的地方，自由自在地待着，我不是有权利看到益处，不是因为森林怎么样，而是因为我在其中吗。因为我在其中。我已在其中我就不用到它那里去了，这是不容忽视的，考虑到我的腿和全身总的状况。这就是我全部要说的，如果我没有马上说，那是因为有什么东西阻碍了它。但是我不能待在森林里，我想说，我不能自主。就是说我可以，从身体上说这是最容易的，但我不完全是一个身体，我还觉得，在森林里待着，有不去理会一个命令的感觉，至少我觉得是这样。然而我会弄错，也许我最好该待在森林里，我是可以的，谁知道呢，没有内疚地待下去，没有那难以忍受的犯错的感觉，几乎是在罪恶中的感觉。因为我回避，总是回避，我的台词提醒人。要是我不能像样地为此感到庆幸，我也看不出有什么理由好为此悲伤。但是那些命令式，就有点儿不一样了，我总是有遵从它们的倾向，我也不知道为什么。因为它们从未把我引向何方，而总是把我拽离那些，不是那么好，也不比别处更坏的地方，然后它们就沉寂了，把我留在沉沦中。因此我理解它们，我的命令式，然而我却服从它们。这变成了一种习惯。应该指出它们几乎全部都是关于同一个问题的，我与母亲的关系，及使这一关系尽早注入少许的光亮的必要性，注入哪一种光亮是适当的，并且用哪种方式可以达到最大的效果。是的，这是些相当明确的命令式，甚至是详细的，一直到，最终使我动摇的时刻，它们就开始变得结结巴巴的了，最后完全消失，使我戳在那儿像一个傻瓜一样，既不知道要去哪儿，也不知道为了什么。它们几乎全部都是关于，我可能已经说了，那个让人难以忍受的棘手的问题。我甚至相信从中举不出一例是关于别的内容的。实际上，那个叫我赶快离开森林的命令式和我所习惯了的命令式没有什么不一样。因为在形式上我觉得我发现了一个新颖的细节。就是在常见的段落之后插入了这样一个庄严的警告，可能已经太晚了。用的是拉丁文，nimis sero，我相信是拉丁文。对我不错，假定命令式。然而如果说我从未能清除掉这个我母亲的问题，那也不应该把错误一概归咎于这个在时间到来之前就把我抛弃掉的声音。它有自己应负的那部分责任，人们能指责它的就只有这些。因为外在的也对立于它，用各式各样的狡猾的方法，我已经举了几个例子了。声音也许能把我一直逼到就绪之际而我却可能不能做得更多，由于别的横在路上的障碍。在这一犹豫，继而死去的命令中，怎么能够不听出一个弦外之音，莫洛伊，什么也别做！它不停地提醒我那个义务难道不是为了更好地向我显示一片黑暗吗？这是可能的。幸亏总的来说，它只是强调，如果您愿意的话是为了接下来嘲笑，一个持续的不需要斥责就了解自己的薄弱的准备。单独地，自始以来，我都是朝着我母亲那里去的，好像是这样的，为了把我们的关系建立在一个不那么飘摇的基础上。当我到她那儿的时候，这我经常办得到，我什么也不做就离开了她。当我不再在她那儿的时候，我重新上路去她那里，抱着下次能做得好一些的愿望。当我看上去放弃了而去操持别的事情或什么也不操持的时候，实际上我只是在酝酿我的计划寻找去往她家的路径。这导致了一个奇怪的发展。其实，即使没有我指控的所谓命令式，我也难以留在森林里，因为我不得不设想我母亲不在这里。但是这艰难的驻留，我也许最好试它一试。但我又对自己说，很快不久以后，照这样子下去，我就不能行走了，我将不得不留在我所在的地方，除非是被人背着。哦，我掌握不了这么清澈的语言。当我说我对自己说，等等，的时候，我只是想说我模糊地知道是这样的，而并不确切地了解到底是怎么一回事。每次我说，我对自己说这个那个，或是我谈到一个内在的声音对我说，莫洛伊，接着是一个多多少少清楚简单的漂亮句子，或是我迫不得已给予第三者一些明白可懂的话语，或是按照他人的意图从我嘴里发出比较适当的清晰的声调，我只是屈从于那使人不是撒谎就是闭嘴的习俗的苛求。因为事情的进行完全是另外一副样子。所以我根本没对自己说，照这样子下去，很快不久以后，等等，而这也许像是要是我有这个能力的话，会说出的话。事实上，我什么都不对自己说，但是我听到一阵喧响，在寂静中有什么东西变了，我竖起耳朵，我想象，跟一个战栗着然后装死的动物做的一样。还有，有时候，一种意识模模糊糊地产生于我，我是这样表达的，我告诉自己，等等，或是，莫洛伊，什么也别做，或是，这是您母亲的名字吗？警察署长说，我根据记忆列举。或者在表达的时候我没有沦落到直言的地步，而借助于别的方式，同样也是欺骗人的，比如说，对我来说好像是，等等，或是，我的印象是，等等，因为对我来说什么也不是，我也没有任何种类的印象，只是什么地方有什么东西变了，它使我也得变，或使世界本身也得变,为了什么也不改变。这是些小小的调整,就像在伽利略的器皿之间一样,我只能如此表达,我恐怕,或,我希望,或,这是您母亲的名字吗?警察署长说,比如,我一定能以另外的方式更好地表达,要是我绞尽脑汁的话。如果哪一天我对痛苦没有像现在那样恐惧,我或许会这样做。但我想不会。所以我对自己说,很快不久以后,照这样子下去,我就不能行走了,我将不得不留在我所在的地方,除非碰巧有个好心人愿意背着我。因为我的停歇站之间的距离变得越来越短,其结果是,我的歇息越来越频繁,并且我加上一句越来越持久,因为持久歇息的概念并不一定导致停歇站距离缩短的概念,也不一定导致歇息频繁的概念,好好思索一下的话,除非给频繁加入一个它不具备的意义,这是我无论如何都不想做的。好像我越是希望赶快走出森林,我就越是马上变得无能为力而走不出任何地方,哪怕是一片小树丛。是冬天了,这应该是冬天,不仅很多树木掉了叶子,而且这些叶子变得又黑又黏,我的拐杖深陷其中,有时一直到分岔的地方。值得注意的是,我并不比过去更冷。也许这只是秋天。但是我对温度的变化一向不怎么敏感。而阴影,如果说它失去了原有的蓝韵,却还是跟从前一样厚。这最终使我说,阴影不那么蓝了是因为少了绿色，而它还是那么厚是因为冬天铅灰色的天空。还有黑色的树枝上，有什么黑乎乎的东西掉下来，差不多是这类东西。黑色叶子黏稠的碎片明显地拖延住我。但即使没有它们，我也会弃绝直立行走，这人类的步态。我还记得那一天，在地上趴着，又是休息的故事，无视于规矩，突然我叫了起来，我拍了下脑门，对了，还有爬行，我早忘了。但是怎么做呢，以我腿的状况，还有躯干？还有头。但在深入得更远之前，一个词出现在森林的喧响之上。尽管我极力倾听，我捕捉不到任何类似的东西。而是，在极良好的意愿和一点儿想象力之下，在越来越远的地方出现了一下锣声。角声嘛，在森林里，是正常的，是人们惯常等待的。是狩猎者的。然而锣声！甚至鼓声，严格地说，也不会使我震惊。但是锣声！这真让人失望，仅仅想利用一下那出名的喃喃低语而能听到的只是锣声，在远处，越来越远。片刻间我希望那只是我的心脏，正在跳动。但只是片刻。因为它不撞击，我的心脏，而更应该从液压上去寻找这只老泵发出的声音。树叶我也倾听了，在掉落之前，我白费心思。它们沉默着，一动不动直挺挺的，就像是黄铜，我打赌我已经使人注意到这点了。这就是关于森林的细语。我时而操纵我的号角，隔着衣袋的布。布使声音越来越闷。我是从我的脚踏车上把它摘下来的。什么时候？我不知道。现在，让我们结束吧。我匍匐在地，用拐杖当锚钩，把它们伸向前方的灌木丛里，当我觉得钩紧了以后，就把自己往前拽，借助于手腕的力量，幸亏它们还强劲有力，尽管由于恶病质肿胀了，又一定是因为什么关节炎变了形还疼痛。这样简短的几句话描述了我是怎么做的。这种移动方式对于其他的，我说的是我经验过的移动方式，有如下的长处，就是想休息的时候就停下来，不用任何动作过程就能休息。因为站立不是休息，坐着也不是。有些人坐着行进，有些人甚至跪着，借助于钩子，把自己拉着向左，向右，向前，向后。但是在爬行运动中，停止就是马上开始休息，甚至其运动本身也是一种休息，相对于其他运动而言，我指的是那些让我那么劳累的运动。我用这种方法在森林里行进，缓慢地，但是是有规律地，每天不用彻底消耗能前行十五步。我甚至用背爬，把我的拐杖盲目地伸向身后的荆棘丛中，在我半闭的眼睛里是树枝遮蔽的黑色天空。我去妈妈家。我时不时地说，妈妈，一定是为了鼓励自己。我的帽子每时每刻都掉下来，带子早就断了，一直到有一刻，因为气得发火，我把它那么凶猛地扣在头颅上以至于我再也不能把它摘下来了。我会结识一些女士，我会与她们相遇，我将不可能得当地向她们致意了。但我一直记在脑子里，它一直运作着，尽管慢了下来，记得兜圈的必要，不停地兜圈，每三至四次我恢复体力的时候我都要改变航向，这使我画出，如果不是圆圈，至少是一个庞大的多边形，尽力而为嘛，这也使我得以希望自己是笔直地前行的，无论如何，沿着直线走，日日夜夜，朝着我的母亲。那一天真的到来了，森林终止了，我看到了平原的光，与我预见的一模一样。但我不是从远处看到的，光在严峻的树干后方震颤，如我等待的那样，我是突然在它之中的，我睁开眼睛发现自己到了。这可以解释为因为自很久以来我就不再睁眼了，除了是在意外情况下。即使是稍稍改变方向，我也是估计着来的，是在黑暗中。森林终止于一道壕沟，我不知道是什么缘故，正是在壕沟里我意识到发生了什么。一定是掉进去的时候我睁开了眼睛，否则为什么我要睁眼呢？我望着眼前一望无际地展开的平原。不，不完全是一望无际的。因为在我的眼睛适应了光线以后，我相信自己看见了，在地平线处，一座城市隐隐约约的尖塔和钟楼的轮廓，当然在掌握到更多的情况之前，没有什么能使我假定这就是我的城。那平原，倒是真的，看上去很熟悉,但是在我们那里所有的平原都很相似,认识了一个,就是认识了所有的。再说了,这是否是我的城,在那寒冷的烟雾下,我母亲是在某处喘息还是在那里熏臭了方圆百里的空气,这都是些惊人的大胆的问题,对我这种处境的人来说,尽管在纯粹的认知意义上,它们具有不可否认的益处。因为我怎么能穿过这辽阔的牧场,那里我的拐杖将在徒劳中探索?也许我可以滚过去。然后呢?人们会允许我一直滚到我母亲的家吗?幸亏在这我模糊预见但还没有理解它全部的苦涩的痛苦前景中,我听见自己说别急,人们跑来救我。一字一句地。这些话,我可以说是在我的耳朵里及智力中高声清晰地敲响,像那个我给他捡起钱的小男孩的足够感谢,我一点儿不夸张。别急,莫洛伊,人们来了。总之,应该一览无余地看到这一切,包括营救,为了得到一个他们星球的资源的全景。我让自己一直落到壕沟的深处。这应该是春天,一个春天的早晨。我像是听见了鸟叫,可能是云雀。好久我都没有听到了。在森林里我怎么没听见?也没有看见。这未曾使我感到奇怪。但是现在我感到奇怪。我在海边听见了吗?那些海鸥?我记不起来了。我记得呻吟声。那两个旅行者重现在我的记忆里。其中的一个有根大头棒。这些我都忘了。我又看到了母羊。其实我现在才说。我不急,我生活中的另一些场景又回到了我眼前。好像是下雨了,又出了太阳,轮番这样。一个真正的春天的天气。我渴望再回到森林里去。哦,不是真的渴望。莫洛伊可以待在,他所在的地方。

二

现在是午夜。雨抽打着玻璃。我很平静。一切都在熟睡。我还是起来走到书桌前。我不困。灯盏射向我的光坚定而柔和。我调节过它。灯光将持续到天亮。我听到猫头鹰叫。多可怕的战争之音!从前我不动声色地听着它。我儿子在睡觉。让他睡吧。那一夜会到来,他也不能睡,起来坐在桌子前。我将被遗忘。

我的报告会很长。我也许完不成。我叫莫朗,雅克。人们这样叫我。我是完蛋的人。我儿子也是。他不该对此有怀疑。他应该相信自己在生活的门槛上,真正的生活的门槛。话说回来这是千真万确的。他叫雅克,跟我一样。这不能引起混淆。

我记得接到命令经手莫洛伊一事的那一天。那是夏天的一个星期日。我在我的小花园里,坐在藤椅上,膝盖上放着本合上的黑颜色的书。大概是快到十一点钟的样子,去教堂还太早。我享受着星期日的休息,同时又痛惜在某些教区人们对这一主日休息的强调。依我看来,在礼拜日工作,甚至玩耍,也不是什么值得谴责的事。依我看来,这完全要看工作或玩耍的人的精神状态,以及工作和玩耍的性质。我心满意足地思索着,这一有点儿自由至上主义思想的看问题的方式,甚至在教士中也占据了地盘,他们越来越情愿接受,安息日,就某些方面来讲,从人们去做弥撒并缴上什一税的那一刻起,就可以被当作是无异于其他任何日子的一天了。这并不触及我个人,我一直喜欢无所事事。如果我有条件的话,我很乐意在工作日也休息。并不是说我是个实实在在的懒惰者,而是另一回事。看着人做如果我愿意做的话可以做得更好的事,并且每次只要我一旦决定了就会做得更好,我就感觉到填充了一个相对而言任何活动都不能使我从椅子里站起来的职能。而这一喜悦,在一周平常的日子里,我极少能使自己沉浸其中。

　　天气很好。我依稀观望着我的那些蜂箱,和蜜蜂们的进进出出。我听见沙砾上我儿子仓促的脚步声,他兴致勃勃地处于我不知是什么样的逃跑与追逐的想象中。我喊叫他不要把自己弄脏。他没有回答我。

　　一切都很安静。没有一丝气流。邻家的烟

囱里冒出笔直的蓝烟。各种休闲声，木棍击在球上，一根耙子耙在沙地上，远处的割草机，我亲爱的教堂的钟声。当然还有鸟，鸫鸟跟画眉，在垂危而令人遗憾的被炎热征服的合唱里，领头唱着，最终离开清早栖息的高高的枝头而飞入灌木丛的阴影中。我愉快地呼吸着我那带有柠檬味的马鞭草的芳香。

就是在这一景致里，我最后的幸福与宁静的时光流逝着。

一个男人进了花园并迅速朝我走来。我跟他很熟。星期天，要是一个邻居来跟我问好，如果这使他愉快的话，必要时我接受，尽管我更乐意什么人也不见。但来人不是个邻居。我们的关系是纯事务性的，他从远方来，来打扰我。于是他越是贸然直走到苹果树下，我坐的地方，我越是准备冷淡地迎接他。因为我以极度恶意的眼光看待这些行为随便的人。如果有人想要跟我谈话，他只要在我家门口按铃就是了。玛尔特有她的规定。我还以为自己是瞒过了所有人的眼睛而从花园栅栏与房子门间的小径上回到了家的，实际上我应该做得到。但是在大门的碰撞声中，我怒气冲冲地转过身来看见被树荫罩得柔和些的、这具长长的人形穿过草坪，直奔我而来。我没有起身也没有请他坐下。他在我面前停下，我们在沉默中互相凝视。他深沉而凝重地穿着星期日的衣服，使我感到不舒服。这一对外观礼仪的粗俗的奉行，而灵魂是在它的破衣烂衫中狂喜的，对我而言一直是件可憎恶的事。我看着他的大脚踩碎我的雏菊。我真该给他几鞭子，把他赶走。不幸的是涉及的不光是他。您请坐，我说，考虑到他只是在做中介人的差事，我便软了下来。对，突然间我很可怜他，可怜我自己。他坐下来擦拭着额头。我瞥见我儿子在一丛灌木后面窥伺我们。那时我儿子十三四岁。以他的年龄来说他很高大强壮。有的时候他的智力达到中等水平。我儿子嘛。我叫他，命令他去拿啤酒。我经常因为自己的偷看举止而处于窘境。我儿子本能地模仿我。他在相当短的时间内回来了，拿着两只杯子和一瓶一升的啤酒。他起开瓶盖给我们倒啤酒。他非常喜欢起瓶盖。我叫他去洗洗，重新整整衣服，一句话准备好在人前亮相，因为马上就是做弥撒的时间了。他可以待在这儿，加贝尔说。我不想让他待在这儿，我说。我转身朝着儿子，又一次对他说去准备一下。如果说在那一时期有什么事让我不高兴的话，那就是在午间弥撒时迟到。您愿意怎样就怎样吧，加贝尔说。我们曾试过以你相称。没用。我只对，曾经对，两个人称你。雅克嘟嘟囔囔地离去了，手指含在嘴里，可恶而不卫生的习惯，但在考虑周全以后，依我看这终究比把手指放在鼻孔里要好。如果我儿子把手指放在嘴里能避免他把手指放在鼻孔里，或别处，那么他有道理这样做，从某种意义上。

  这就是我们的指令，加贝尔说。他从衣袋里掏出一本备忘录开始念起来。他时不时地合上备忘录，小心地把手指夹在里边，滔滔讲述我只要照着去做的意见与主张，我了解我的职业。当他终于说完了以后，我告诉他我对这一任务不感兴趣，老板最好去找另一个探员。他要的是您，上帝知道为什么，加贝尔说。他一定跟您说了为什么，我说，嗅出了恭维的味道，我挺喜欢的。他说，加贝尔回答说，只有您能胜任这项工作。这多少正是我愿意听到的。可是，我说，这事在我看来简单得有些孩子气。加贝尔开始恼怒地批评我们的雇主，他使得他半夜起床，正好在他摆好了与妻子做爱的姿势的时候。为了这么件蠢事，他补上一句。那他对您说了他只信任我？我说。他不再知道他说的是什么，加贝尔说。他擦拭着圆顶礼帽的夹里，仔细地瞧着里面，好像在找什么东西。那么我很难拒绝，我说，自己完全清楚不管怎样我都是不会拒绝的。拒绝！但是我们其他的探员经常乐于表示不满，在我们内部，以显出我们是很自由的人的样子。您今天出发。加贝尔说。今天！我叫了起来，他脑子有毛病吗！您儿子将与您同行，加贝尔说。我缄口不言。当事情变得严重起来，我们都缄口不言。加贝尔扣上备忘录的纽扣，把它重新放回衣袋里，他也扣上了衣袋的扣子。他站起来，双手在胸前摸着。我想再喝一杯，他说。去厨房吧，我说，女仆会伺候您的。再见，莫朗，他说。

去参加弥撒已经太晚了。我用不着看表就知道，我感觉到弥撒没有我就开始了。从来不错过弥撒的我，却在这个星期日错过了弥撒！在我如此这般需要它的时候！为了鼓起我的精神！我终于决定在下午，请求一个特别的会面。我将把午餐免了。跟安布普瓦兹神甫在一起总是能找出一个解决办法的。

我叫了声雅克。没有回应。我对自己说，看到我一直在会谈，他独自去参加弥撒了。这一解释，后来被证实是对的。但我加上一句，他在走之前本该来看我一下的。我乐于自言自语地推论，人们会看到我嘴唇在嚅动。但他一定害怕因打扰我而被捉到。因为当我捉住我儿子的时候，我时而会做出出格的举动，其结果是他有点儿怕我。我呢，我从来没有被好好管教过。哦，我也没被宠坏过，我只是被忽视了。由此产生了不可救药的不良习惯，即使是最细微的虔诚也无法战胜它们。我希望能使我儿子免除这一不幸,我在推理的支持下,时而给他一记结实的耳光。然后我对自己说,他从弥撒那里回来时敢对我说他去了吗,如果他没去的话,比如他只是跑去会同学了,在屠宰场后面?我向自己保证在这一问题上,要从安布普瓦兹神甫那里套出真情来。因为我儿子不该竭力想象向我撒谎而不受惩罚。如果安布普瓦兹神甫不能提供我什么消息的话,我将去向教堂执事请教,难以设想他对我儿子是否出现在弥撒仪式中会不加以留意。因为我很清楚教堂执事有一份忠诚信徒的名单,他待在圣水缸近旁,在以水净手的时候记录下我们。值得注意的细节是,安布普瓦兹神甫对这一伎俩一无所知,确实是的,对安布普瓦兹好神甫来说,所有的监督都是可憎的。如果他相信教堂执事能做出这等自负的事来的话,他会当场把他赶走的。这准是为了他自己的座基,教堂执事才如此勤勉地进行当日的记录。我只知道午间弥撒的情形,这是可以肯定的事,我个人对别的经课没有任何经历,我从来也没去过。但我放任自己大胆地说一样的监察也在实行,如果不是教堂执事本人的话,他一定是在别处忙,那就是他众多的儿子中的一个。奇怪的教区,它的子民在这一更是在神甫权限范围内的事情上比神甫本人更了解内情。

这就是在等待我儿子的归来和加贝尔的离去,而我还没打算离去的时候所冥想的。今晚我感到奇怪,在那样一个时刻,我居然会想到,我儿子,我的缺乏训导,安布普瓦兹神甫,教堂执事若利和他的记录单。在我刚刚听到那个消息后,我没有别的更有用的事可做吗?事实上我还没有开始认真对待那件事。使我更加惊讶的是,这种无忧无虑并不是我性格中所有的。或许是为了继续保有片刻的宁静,我本能地回避去思索它?即便是,从加贝尔的宣读中,事件显得与我的能力不相配,但是老板坚持要我,我莫朗,而不是别的什么人,以及我儿子将陪我去的消息,都应该警示我所涉及的不是一项普通的工作。此时需要即刻调集我精神与经验中的所有资源,但我却在遐想我血脉中的软弱及周围环境的特殊性。然而毒药对我起作用了,人们刚倒给我的毒药。我在扶手椅里来回扭动,手在脸上乱摸,跷起腿又放下,等等。世界已经改变了颜色与重量,很快我就得承认自己焦虑不安。

我恼恨地记起自己刚刚喝过的酒。在一大杯瓦伦施坦啤酒下肚以后,人们会赐予我基督的肉吗?要是我什么都不说呢?您是空着肚子的吗,我的孩子?人们什么也不会问我的。但是上帝知道，或早或晚。他也许会原谅我。但是圣体搅在啤酒里面，啤酒是三月酿制的吗，圣体会发挥原有的效果吗？我总能试试。教会在这上面是如何教诲的呢？如果我犯下渎圣罪？我决定在去本堂神甫住宅的路上，含几片薄荷糖片。

我站起来走到厨房里。我问雅克回来了没有。我没看见他，玛尔特回答我说。她看上去脾气不好。另一位呢？我说。哪一位？她说。那个我让他来向您要一杯啤酒的，我说。谁也没向我要过什么，玛尔特说。对啦，我说道，并没有不知所措，今天，我不用午餐。她问我是否病了。因为从本性上说，我是饭量大的人。特别是星期日的午餐，我总是要它非常丰盛。厨房里的味道很香。今天我晚一点儿吃午饭，就这样，我说。玛尔特怒冲冲地看着我。就四点钟吧，我说。我对所有在这个狭窄灰白的脑门后边奔驰反抗的东西都知道。您今天不能出门，我冷冷地说，我很抱歉。她冲到那些锅前面，愤愤地一声不吭。这些您都给我热着，您尽力吧，我说。还有，知道她干得出给我下毒的事，我补充道，明天一整天都是您的，要是这给您带来方便的话。

我出了门走到大路口。那么加贝尔没喝啤酒就走了。他可是很想喝的。那是个好牌子，瓦伦施坦啤酒。我窥伺着雅克的到来。从教堂出来他将出现在我的右边,如果他出现在左边的话那就是从屠宰场来。一个自由思想者的邻居走过来,从我面前经过。怎么着,他说,咱今儿个不拜了吗?他了解我的习惯,我的主日习惯,我是说。大家都了解老板,也许比任何人都了解,尽管他身在远方。您看上去心神不定的,邻居说。是您使我心神不定,我说,每次只要看到您的时候。我回身,后背上落着的是令人憎恶的微笑。我能看到他跑到情妇家对她说,你认识那个可怜的傻瓜莫朗吗,要是你看见我怎样捉弄了他!他都不知道说什么了!他跑了!

  雅克一会儿之后回来了。他身上没有一点儿嬉戏过的痕迹。他说他自己去教堂了。我问了他几个恰如其分的问题,关于仪式过程的。他流利地回答了。我叫他去洗手然后上桌子。我回到厨房。我只是转了个来回。您可以上菜了,我说。她哭过了。我朝锅里看了看。爱尔兰炖肉。又经济又营养,有点儿难消化。荣誉归于它为之扬名的国家。我四点钟上桌,我说。我其实用不着加上拍掌。我喜欢精确,所有寄居在我屋檐下的人也应该喜欢它。我上楼到我房间里。在那儿,躺在床上,窗帘拉着,我第一次试图使自己投入莫洛伊事件中去。

我首先想要抱怨的只是马上会遇到的麻烦，那些不得不着手的准备工作。至于莫洛伊事件的症结，我一直避免去想。我感到一个极大的混乱占据了我。

我要骑轻便摩托车出发吗？我从这一问题入手。我是头脑很有条理的人，我从来也没有对于最佳的出发方式不经过长久思考就上路去执行任务的。这是第一个要解决的问题，在每个调查开始之时，在它还没有得到圆满解决之前，我不行动。我有时骑轻便摩托车，有时坐火车，有时坐旅游车，我也有步行，或骑脚踏车的时候，静悄悄地，在夜里。因为当一个人被敌人所围绕，像我这种情况，他是不会骑轻便摩托车，即使在夜里，而不被发现的，除非骑一辆简单的脚踏车，那可没有任何意义。但是如果说首先解决这个微妙的交通问题是我的习惯的话，那么对于这一问题所依赖的各项因素，我历来都是，即使不是进行深入思考的话，至少也会考虑，因为如果事先不知道要去哪儿，或至少是出于什么目的要去那个地方，人们怎么能够决定用什么方法出发呢？但是在目前的情况下，我没有进行任何的准备工作，而只凭自己从加贝尔的报告中得到的一些漫不经意的材料就去谋求解决交通方式的问题。加贝尔报告中任何最微小的细节，只要我想要的话就知道怎样得到。但是我还没有费这份心，我避免去做，我对自己说，这是个平庸的案子。想要在这种状况中解决交通方式的问题，这真是疯了。而这却是我所做的。我已经昏了头了。

我很喜欢骑轻便摩托车出发，我喜爱这种运动方式。我看不出有什么因素好反对它的，所以我决定骑轻便摩托车出发。就这样，在莫洛伊事件的前夕，致命的快乐原则留下了它的印记。

太阳的光线掠过窗帘的缝隙，显现出灰尘的飞舞。我由此得出结论，天气一直很好，我也因此而喜悦。当人们骑轻便摩托车出发的时候最好是好天。我弄错了，天气不再好了，天空正阴下来，马上就要下雨了。但这一会儿太阳还在照耀。正是这样，没有别的什么好评估的因素，我以不可思议的轻率做出了猜测。

接下来，照我的惯例，我会考虑带什么衣物的重要问题。在这件事上我也会做出异常大胆的决定，要是我儿子没有闯进来的话，他想知道他能不能出去。我控制住自己。他用手背擦嘴。这是我不想看见的。但他还有更可耻的举止，我知道一些事。

出去？我说，去哪儿？出去！多可恶的含糊其词。我开始感到非常饿了。去小榆树，他回答说。人们这样称呼我们的小公园。然而那里见不着小榆树,有人向我担保。去干吗?我说。温习我的植物学,他回答说。有些时刻我怀疑我儿子很阴险。现在就是这样一个时刻。我几乎更愿意他说,呼吸新鲜空气,或是看姑娘去。不幸的是,在植物学上他知道的比我多得多。否则在他回来的时候,我可以问他几个难题。我呢,我喜欢植物,就这样而已。我甚至有时在植物里看到上帝存在的多余的证据。去吧,我说,但四点半回来,我有话跟你说。好的爸爸,他说。好的爸爸!啊!

我睡了一会儿。长话短说吧。在经过教堂前面的时候,有什么东西使我停下脚步。我注视着大门,它是耶稣会式样的,很美。我觉得它很丑。我加快脚步,一直走到本堂神甫住宅。神甫先生在睡觉,女仆说。我等着,我说。是急事吗?她说。是也不是,我说。她把我领入客厅,客厅赤裸得可怕。安布普瓦兹神甫揉着眼睛,走了进来。打搅您了,神甫,我说。他用舌尖咂着上颚,表示对此话不满。我就不描述我们那些客套了,他的典型的姿态,我的典型的姿态。他敬我一支雪茄,我很乐意地接受了并把它放进衣袋里,在自来水笔和自动铅笔之间。他炫耀自己很懂人情世故,懂得俗套,安布普瓦兹神甫,他自己从不吸烟。人们都说他很豁达。我问他是否在午间弥撒时注意到我儿子了。当然，他说，我们还谈了话。我一定显出了惊讶之色。是的，他说，没看见您在主祭牧师的第一排上，您的那个位子里，我怕您是不舒服了。所以我叫人召来那亲爱的孩子，他使我放了心。我不凑巧有客人，我说，没能及时脱开身。您儿子也是这么跟我解释的，他说。他补充道，您坐啊，又不是火烧眉毛的事。他笑着坐下，撩了撩沉重的长袍。我能请您喝一杯消化酒吗？他说。我很惶惑。雅克说走了嘴提到啤酒的事了吗。他是做得出这种事来的。我是来请求您给我一个恩惠的，我说。您被获准了，他说。我们互相观察着。是这样，我说，没有领受临终圣体的星期日，对我来说就像——他举起手来。不要做世俗的比较，他说。他也许想到没有胡子的接吻或没有芥末的烤牛肉。我不喜欢人们打断我。我生了闷气。我看您来是，他说，快说出来吧，您想要领圣体。我垂下了头。这有点儿出于常规，他说。我自问他是否吃过饭了。我知道他自愿进行时间延长的斋戒，显然是出于苦修的意愿，也是因为他的医生是这样建议他的。这样他一举两得。别对任何人说，他说，你知我知即可，并且——他举起手指的时候停住了，双眼望着天花板。瞧瞧，他说，这块斑点是什么？我也朝天花板望去。是一块湿迹，我说。姑姑，他说，这真是麻烦事。我觉得姑姑这个词真是无与伦比的癫狂。有的时候，他说，人们总是放任自流。他站起来。我去找我的匣子，他说。他把那叫作他的匣子。单独一人，我交叉着双手按响指节，询问主的忠告。没有任何结果。做到这样已经不错了。至于安布普瓦兹神甫，他那一跃而起朝他的匣子奔去的样子，使我几乎得以肯定他什么也没怀疑。或是看我能走到哪一步使他开心？或是他乐于把我引入罪恶？我把这一处境用下面的方式归结出来。如果他知道我喝了啤酒还让我领圣体，那么他跟我一样有罪，要是罪恶成立的话。因此我不会冒什么风险。他拿着圣体箱回来，把它打开且没有犹疑片刻就与我了结了这件事。我重新站起来，热情地感谢他。呸，他说，蠢事。现在我们可以谈天了。

我没有别的什么要对他说。我只盼着一件事，尽快回到家，饱食我那顿炖肉。灵魂饱足了以后，我饿了。但是因为我在时间上有点儿提前了，我就顺从地让给了他八分钟。这八分钟显得很漫长。他告诉我，克莱芒特太太，药剂师的太太，她本人就是个一流药剂师，在她的药店里，从梯子顶上摔下来了，摔断了股——骨头！我叫了起来。股骨颈，他说，您不让我说完。他加上一句说这会发生。我呢，为了不负他的情意，我告诉他我的那些母鸡让我很担忧，特别是那只灰的，它不再愿意下蛋，也不愿孵蛋，一个多月来只是坐着，从早到晚，屁股埋在土里。像约伯一样，哈哈，他说。我也哈哈了一声。在有些时候，笑多让人痛快啊，他说。不是吗？我说。这是人类的话语，他说。我注意到了，我说。接下来是一阵短暂的沉默。您喂它什么？他说。基本上是玉米，我说。是糊糊还是颗粒？他说。两种都喂，我说。我补充说它几乎不再吃东西了。动物从来不笑，他说。只有我们觉得这好玩儿，我说。怎么？他说。只有我们觉得这好玩儿，我用力说。他思索着。基督也从来不笑，他说，据人们所知。他看着我。您想要？我说。显然，他说。我们忧郁地相视而笑。它渴吗？他说。我回答说不，肯定不渴，您想认为它怎样都行，但它就是不渴。他思索着。您试过碳酸氢盐吗？他说。什么？我说。小苏打，他说，您试过吗？天啊，没有，我说。试试吧，他叫起来，高兴得脸红红的，让它吞下几小勺，每天几次，连续几个月，您瞧吧，它会恢复健康的。那是一种粉末吗？我说。当然，他说。谢谢您，我说，我今天就试。一只那么漂亮的母鸡，他说，一个那么好的下蛋能手。从明天起，我说。我忘了药店关门了。当然除了有紧急情况。那现在来点儿小小的消化酒，他说。我谢绝了他。

这次与安布普瓦兹神甫的交谈给我留下了不好受的印象。同是那个亲爱的人，但又不是。我觉得非常惊讶，在他脸上，有一种欠缺，我怎么说呢，一种对高雅的欠缺。应该说圣餐饼没被通过。回到家时我的境况就像是一个人，吞下了镇痛药，先是惊讶，继而愤然，发现他还是同样痛苦。我几乎由此怀疑安布普瓦兹神甫，知晓了我上午的失节，给了我没有祝福过的面包。或是他在念祝语的同时，施行了精神控制。这使我在瓢泼大雨中到家的时候，情绪异常恶劣。

炖肉真让我失望。洋葱在哪儿？我叫起来。化在汁里了，玛尔特说。我冲进厨房，寻找我怀疑被剥夺掉的洋葱，明知我那么喜欢它。我甚至找寻到垃圾袋里。什么也没有。她狡狯地注视着我，做着这一切。

我上楼重新回到我的房间里，朝着糟透了的天空拉开窗帘，躺了下来。我不明白自己发生了什么事。在那一时期里，我因为不明白而很痛苦。我努力重新控制住自己。可失败了。定是这样。我的生命走开了去，我不知道从哪里。然而我终于昏昏入睡，当不幸还没有确定它的范围的时候,入睡可不是件容易的事。我很高兴,在这黄昏的昏沉中得以入眠,而我儿子闯了进来,没有敲门。如果有什么事使我深恶痛绝的话,那就是不敲门就进入我的房间。我可能恰恰在手淫的姿势中,在我的布罗镜子前。这对一个年轻男孩来说可不是什么有教益的场面,看到自己的父亲前裆大开,眼睛大瞪,正在从阴沉粗鲁的快感中脱离出来。我毫不温和地提醒他礼仪之事。他抗辩说他敲了两次门。你应该敲上一百次,我回答说,在你被邀请进入之前你没有进门的权利。可是,他说。可是什么?我说。你叫我四点半来,他说。有些事,我说,在生活中比准时还要重要,那就是羞耻心。你把它重复一遍。在这张轻视人的嘴巴里,我的话使我羞愧。他浑身湿透了。你看了些什么?我说。百合科植物,爸爸,他回答说。百合科植物爸爸!我儿子,当他想伤害我的时候,他有一种说爸爸的方式,非常特殊。现在好好听着,我说。他的脸上显出极度不安的关注神色。我们今天晚上出发,我大致说,去旅行。你穿上校服,那套绿的——但那是蓝的,爸爸,他说。蓝的或绿的,你穿上它,我厉声说。我继续进行下去。你把我过节时给你的那套盥洗用品,还有一件衬衫,七条衬裤和一双袜子,都放到小背包里去。你听懂了吗?哪件衬衫,爸爸?他说。随便哪件衬衫,我喊了起来,一件衬衫!我该穿哪双鞋呢?他说。你有两双鞋,我说,一双星期日穿的,还有一双每天穿的,你居然还问我你该穿哪一双。我挺起身来。你是在嘲弄我吗?我说。

我刚刚给了我儿子精确的指令。但这些指令是正确的吗?它们经得住推敲吗?我不会被迫,在很短的时间里,再把它们收回吧?我可是在我儿子面前从来不改变主意的。这一切都是可畏惧的。

我们去哪儿,爸爸。有多少次我告诉他不要向我提问。到底我们去哪里呢。去做我叫你做的,我说。明天我和皮先生有预约,他说。你另外哪天再去见他,我说。可是我疼,他说。还有别的牙医,我说,皮先生不是北半球唯一的牙医。我不谨慎地加了一句,我们不是去荒漠。可那是个很好的牙医,他说。所有的牙医都不相上下,我说。我真可以叫他滚去看他的牙医,让我安静些,可是不然,我缓缓地与他说理,我对他说话像对待同等人一样。我也可以提醒他注意在他说他疼的时候他是说了谎的。他是疼过,我想是在一个新长的臼齿的地方,但他现在不疼了。皮先生告诉过我。我把牙包扎起来了,他对我说,您儿子可能还会疼。我记得很清楚那场对话。他自然有一口很坏的牙齿，皮说。自然？我说，怎么自然法？您暗指什么？他天生就长了口坏牙，皮说，他将永远有口坏牙。我自然会做我所有能做的。这就是说，我天生会去做所有我能做的，我一定永远会做所有我能做的。天生一口坏牙！至于我呢，我只剩下门牙了，用来咬的牙。

雨一直在下吗？我说，我儿子从口袋里掏出一个小镜子，用指头掀起上唇来查看嘴巴的内部。啊，他说，并没有停下他的观察。你鼓捣嘴够了！我嚷起来。到窗口去告诉我雨是否还在下。他走到窗口，告诉我雨一直在下。天完全阴着吗？我说。是的，他说。没有一点儿晴处？我说。没有，他说。合上窗帘，我说。在眼睛习惯于黑暗之前，是美妙的瞬间。你还在那儿吗？他还在那儿。我问他不去做我说的事还在那儿等什么。处于我儿子的地位，我离开我已经有好一会儿了。他不与我等价，不是一样的料子。我不能不做出这一结论。感觉到自己优于儿子的满足实际上是微不足道的，不足以平息我把他唤入生命的内疚。我可以带上我的集邮册吗？他说。我儿子有两套集邮册，一册大的是他真正集的邮，还有一册小的是复制品。我批准他携带后者。当我能让人高兴，又不违背我的原则的话，我是很乐意这样去做的。他退下去了。

我起身走到窗口。我不能安静地待着。我把头伸进两片窗帘之间。纤细的雨，压抑的云空。他没有骗我。预计八点八点半天气将见晴。美丽的落日，黄昏，夜。残月，在午夜升起。我摇铃叫玛尔特，然后又躺下。我们在家吃晚饭，我说。她惊讶地看着我。难道我们不是总是在家吃晚饭吗？我还没有告诉她我们要出发。我将只在最后一刻说，就像人们说的脚叉进马镫子里的时候。我对她只有有限的信任。我将在最后一刻叫她来对她说，玛尔特，我们走了，要去一天，两天，三天，八天，十五天，我怎么知道，别了。她不应该确切地知道。那么为什么打搅她呢？她反正要张罗我们的晚饭，像每天一样。我把自己放在她的位置上，这样就犯下了错误。还有为什么取消了她的一个下午？这还容易理解。但是对她说我们在家吃饭，多蠢的举动。因为她已经知道，以为知道，确实知道。在这一毫无用处的点明之后她会去闻去嗅不寻常之处，会窥伺我们，为了试图弄清要发生什么事。第一个错误。第二个了，第一个在这之前，我疏忽了没有嘱咐我儿子跟谁也别提我跟他说的事。虽然这显然不会阻止什么。没关系的，我应该苛求，我应该。我所做的都是些蠢事，我平时是那么精明。我试图改正，我说，比平时晚一些，九点以后。她走了，粗糙的头脑已经沸腾起来了。我知道她要做什么，她要往肩上扔一条口袋，溜到花园尽头去。在那儿她招呼哈娜，埃尔斯纳姐妹的老厨娘，她们将在一起叽咕好半天，隔着栏杆。哈娜从不出门，她不喜欢出门。埃尔斯纳姐妹是挺好的邻居。她们弹奏音乐多了点儿，这是我能找到的唯一能责备她们的地方。要是有一样东西让我心烦的话，那就是音乐了。我肯定的，否定的，怀疑的，我都用现在时，我今天还会这样做。但是我将用不同的过去时态。因为更经常的情况是我不能确定，可能现在不是这样了，我还不知道，简短地说我不知道，我也许永远不会知道。我微微想起埃尔斯纳姐妹。一切都有待于安排，我却想着埃尔斯纳姐妹。她们有一条叫祖鲁的苏格兰猂。人们叫它祖鲁。有时候，当我情绪高涨的时候，我叫，祖鲁！小祖鲁！它就来向我问好，隔着栏杆。但我必须很快活。我不喜欢畜牲。这很奇怪，我不喜欢人也不喜欢畜牲。至于上帝，它开始让我厌恶。我蹲着逗弄它的耳朵，隔着栏杆，说一些温情的话。它意识不到它让我厌恶。它站起来，身子支在后腿上，胸脯靠着铁栏杆。我就看到它小小的黑色阴茎处延伸出一小撮湿漉漉的细毛。它感到不安稳，膝弯处抖动着，小爪子寻找着自己的位置，一只跟着另一只。我也摇晃着，坐在脚跟上。用空着的手把着栏杆。也许我也一样让它厌恶。我很难从这些徒然的思绪中摆脱出来。

我一边做出一个抗拒的动作，一边问自己，是什么迫使我接受这项工作。但是我已经接受了，我允诺了。太晚了。名誉。我很快就把我的无能为力包裹了起来。

但是我不能把我们的启程推迟到明天吗？或是一个人出发？没用的反复。但我们只在最后一刻出发，在午夜之前一会儿。这一决定是不容变更的，我对自己说。何况月亮的状态证实了这一决定的正确。

我就像不能入睡的时候一样。我在我的精神世界中游荡，慢悠悠地，记下迷宫里的每一个细节，在那些与我的花园路径同样熟悉的小道上漫步，但它们总是新的，希望那是荒无人烟的，会被奇特的相遇所振奋。我听到远方的铙钹，我有时间，我有时间。但是证据是否定的，是我停了下来，一切都消失了，我重新试图去想莫洛伊事件。难以理解的意识，一会儿是海，一会儿是灯塔。

我们这些另外的探员，从来不做记录。加贝尔不是我这种探员。加贝尔是信使。他有拥有备忘录的权利。要当信使就要具有独特的品质，好的信使比好的探员还要罕见。作为出色探员的我，只能做个平庸的信使。我经常为此遗憾。加贝尔受到加倍的保护。他用一种除他之外没有人能懂得的符号做记录。每位信使，在被任命之前，都要把他的符号记录呈交给上级。加贝尔一点儿也不懂他所传送的信息。他思考以后会得出错得惊人的结论。是的，他不懂自己所传递的信息这还不算，他还必须自以为都懂。这还不是全部。他的记忆糟糕得他的脑子根本记不住他所传递的信息，他只有参阅备忘录才行。只要他合上备忘录，一分钟以后，他就又对备忘录里的内容全然不知了。当我说到他思考所传递的信息并得出结论的时候，他可不是像我们，您和我那样思考的，书合着很可能眼睛也合着，在他慢慢读着的时候。而当他抬起头来做出结论的时候，他是一刻也不耽搁的，因为如果他耽搁了片刻工夫，他就会把什么都忘了，文稿连同注解。我经常自问是否人们对信使们施行了外科手术，使他们健忘到如此地步。但我想不会的。因为在所有并未触及所传递的信息的事物的时候，他们的记忆都是良好的。我听到过加贝尔很可信地谈论到他的童年与家庭。做一个唯一能够读解的人，在无知无觉的情况下对自己的使命浑然不知并且无法对此使命保持几秒钟以上的持有，这是在一人身上很难同时拥有的品质。而这却是我们的信使所必须拥有的。他们比品性沉稳但非卓越的探员更受重视的证据是，他们每周有八镑的固定收入，而我们只有六镑半，这个数字是不计补贴与差旅费用的。当我说到信使与探员时用的是复数，这是得不到保证的。因为我没有见过加贝尔以外的别的信使及我以外的别的探员。但是我设想我们不是唯一的，加贝尔也准是设想同样的情况。因为觉得自己在各自的种类中是唯一的，我们是无法忍受的，我相信。对我们来说这一定是很自然的，对我来说每个探员只备有一个信使，对加贝尔来说每个信使只备有一个探员。因此我可以对加贝尔说，让他把这个工作交给另一位吧，我不想做，而加贝尔得以回答我，他只要您不要别人。这最后几个字，假设加贝尔没有编造，故意与我作难，老板也许是说出来故意要使我们保持这一幻想的，如果这幻想是单一的话。所有这一切都很不清楚。

如果我们把自己看待成一个广大网络中的一员，毫无疑问是出于人类的感情，它试图以分担来降低厄运。然而至少对于我，懂得倾听理智的假声的我来说，很显然我们也许就是唯一从事我们所从事的事情的人。是的，在我清醒的时候，我认为这是可能的。并且为了什么也不向您隐瞒，这一清醒有时达到异常敏锐的程度，以至于我怀疑加贝尔本身的存在。如果我不是又迅速地重陷于晦暗中的话，我会一直落到把老板变得没有相信自己是这个不幸存在中的孤单而唯一的担负者的地步。因为我知道自己是不幸的，一周六镑半加上补贴及差旅费用。如果除去了加贝尔和老板（被称为尤迪的），难道我能够拒绝快乐——您明白我了。但是我不是为了毁灭的大光明而生就的，我只被赋予了一盏小小的灯和一个巨大的耐心，为了带着它在空虚的阴影里漫游。我是沉稳的人，在沉稳的人之中。

我下楼到厨房里。我没指望会在那儿碰到玛尔特，但我却在那儿碰到了她。她坐在她的摇椅里，在壁炉的一角，她阴郁地摇摆着。这把摇椅，照她说来，是她唯一喜爱的财产，即使为了一个王国她也不会与之分离。值得注意的细节是，她没把它安置在她的房间里，而是安置在厨房里，在壁炉的一角上。睡得晚，起得早，她在厨房里才能更好地享用它。很多主人，我也算在其中，用很不好的眼光看待工作场所的享乐家具。女仆想要休息吗？那她去她的房间好了。厨房里所放的东西只是又白又硬的木柴。我应该说玛尔特在来伺候我之前，特别要求过我，允许她在厨房里留着她的摇椅。

我拒绝了,愤然拒绝。然后,看到她毫不动摇,我让步了。我的心肠太好了。

每星期六,都有人给我送来我整个一星期所需的备用酒,那就是半打一升装的瓶子。我在第二天到来之前从不动它们,因为酒在哪怕是最微小的搬运后也需要处于静止状态。在这六瓶酒中,加贝尔和我,我们两人,喝光了一瓶。应该还剩下五瓶,还有上个星期剩下的一瓶的瓶底。我走到食品储藏室。五个瓶子都在,瓶口塞住密封着,还有一瓶是开着的,空了四分之三。玛尔特用目光追随着我。我没理她就离开厨房重新上楼去了。我所做的只是些来来去去。我进到我儿子的房间里。他坐在他的小工作桌前欣赏着他的邮票,两本集邮册,一本大的一本小的,摊在他面前。在我走近的时候,他迅速地合上了它们。我马上明白了他在谋划着什么。但是我先说,你准备好你的东西了吗?他站了起来,拿起他的包把它递给我。我往里面看。我伸进手去摸,眼光一片茫然。都在里面。我把包还给他。你在做什么?我说。我看看我的邮票,他说。你把这叫作看看你的邮票?我说。当然,他说,带着难以想象的厚颜无耻的表情。住嘴,小骗子!我叫了起来。您知道他在做什么吗?把一些稀有珍贵的邮票从他真正的集邮册里放入复制版的集邮册里,他不能跟这些他每天带着喜悦观赏的邮票分离,哪怕是仅仅几天。把你那张新的帝汶岛邮票给我看看,五个黄瑞斯的,我说。他犹豫着。拿给我看!我叫喊起来。那是我自己给他的,它花了我一个弗罗林。一个减价的,在那个时期。我把它放在这里面了,他可怜巴巴地说,掀了掀复制版的集邮册。这就是我全部想知道的,更确切地说想听他说出来的,因为我已经知道了。好了,我说。我朝门口走去。你将把两本集邮册都留在家里,我说,小的和大的。没有一句责备的话,只有一句简单的对未来的预言,以尤迪所使用的方式为样本。您儿子将与您为伴。我走了出去。但是当我以轻柔的脚步,几乎是娇媚地,像往常一样庆贺自己地毯的柔软,沿着走廊朝我的房间走去的时候,一个念头突然降临于我,迫使我返回我儿子的房间里。他坐在同一个位置上,但姿势稍有改变,双臂伏在桌子上,头埋在双臂里。这一景象让我心动,但我并不因此而少尽我的职责。他一动也不动。为了更保险起见,我说,我们把这些集邮册放在保险柜里,直到我们回来。他一直不动。你听见了吗?我说。他一跃而起,弄翻了椅子,大声说出下面这些怒气冲冲的话,你爱把它们怎么样就怎么样吧!我再也不想看到它们了!应该让怒气过去,这是我的观点，应该在冷静中处理。我拿起集邮册退下了，一言未发。他对我缺乏尊敬，但是这不是让他有礼有节的时候。我一动不动地在走廊里听到东西落下与撞击的嘈杂声。换了别人，没有我这么能自制的人，就会介入其中了。但是我儿子自由发泄痛苦并不实实在在地使我不悦。这是场净化。依我看来，沉默的痛苦更令人畏惧。

　　我胳膊下夹着集邮册回到自己的房间。我使我儿子逃脱了一个严重的诱惑，那就是在口袋里塞几张他特别喜爱的邮票，在旅途中沉湎于欣赏它们的快乐。并不是说在口袋里放几张邮票就值得谴责。但那是一个不服从的举止。为了看邮票，他将不得不躲开他的父亲。而如果他把邮票弄丢了，他怎么能不编造谎言向我解释它们的消失呢。这不行，要是他真不能与他最喜爱的那几张小纸片分离的话，那他最好还是把整本邮册都带着。因为一大本邮册不像一张邮票那么容易丢失。然而我比他更能够评判什么该做什么不该做。因为我知道他还不知道的事情，比如这一考验对他是极有益的。你应该忍受①，这就是我想要在他还年轻而娇嫩

---

　　①　原文为"Sollst entbehren"，德语，出自歌德的剧作《浮士德》。

的时候，让他铭记于心的教训。有魔力的词语，在十五岁之前我都没有想象过人们能够借用它们。这一事件，会不会使我的形象在他的眼里变得令人憎恶并使他的恨超出我个人，直达父亲的概念本身，我尽自己的全部力量，继续思索下去。我的思绪在我与他的死亡之间停顿了片刻，凌辱我的记忆，他将会自问，在电闪而过的瞬间，我是否是有道理的，这对我就够了，这就补偿了我使自己经受的并还将使自己经受的所有苦痛。第一次自问的时候，他的回答将是否定的，并继续他的作为。但是疑问已经播撒下了。他还会再回到这个问题上来。我是如此这般推论的。

在晚餐之前我还有几个小时。我决定认真地加以利用。因为在晚餐后我就会打盹儿了。我脱掉外衣和袜子，解开裤子纽扣钻到被子底下。我是在躺着，在温暖之中，在黑暗里的时候，才能更好地深入外界虚幻的纷扰中，在那里确定人们交给我的造物的位置，拥有对我将施行的步骤的本能，并在他人荒谬的困苦前平静下来。远离于世界，它的喧闹，勾当，中伤以及它凄凉的光亮，我评判它，及那些跟我一样，马上投入其中的人，还有那个需要我去解救的人，我都不知道怎样解救我自己。一切都是晦暗的，但正是在这一简单的晦暗中，几大分解都停滞了。整体在摇动，像定律一样赤裸。知道了它是什么做成的，人们就不予理睬了。人也在那里，在某一处，是所有统治所揉成的巨块，在他物之中既简单又孤独，并且像一块山岩一样缺乏变故。在这团块之中，在某一处，相信有个人是另外的，是隐藏的受保护者。这对任何人都合适。但是有人出钱要我把他寻找出来。我来了他脱离开来，整个一生他就等着这个了，被选中，自认为是遭天谴的，幸运的，自认为在所有人之中，是平庸的。这就是它们有时对我造成的效果，寂静，温热，昏暗，我的床的气味。我起床，出门，就什么都变了。我的脑袋空无热血，从四面八方向我袭来那些分离，结合，碎片横飞的东西的喧嚣，我的眼睛徒然地寻找相似之处，我的每寸皮肤都喊叫着另一种信息，我倾覆于万千气象的迷雾之中。正是在这些感觉的折磨中，我有幸了解虚幻之物，知道我必须谋生工作。多亏了这些感觉，我为自己找到了一个意义。如同一个突然醒来的痛苦。它凝滞不动，屏住呼吸，等待着，自言自语，这是场噩梦，或是，在哆嗦的同时说，这是有点儿神经痛，做做深呼吸，再接着睡。然而这并非令人不快，在进入工作状态的前夕，在重新浸泡在那厚重而迟缓的世界之前，在那里一切都以牛群沉郁的凝重挪动着，耐心地行进在远古的路上，并且所有的侦查工作在那里当然都将是不可能进行的。但是在这种情况下，我说清楚了，在这种情况下，我对此有别的更加严肃的理由，我希望如此来显现更多的有用之处而非愉快的感觉。因为正是把他转入这样的氛围之中，怎么说呢，从没有终结的终结中，为什么不呢，我才敢于设想将施行的工作。因为在莫洛伊不会在的地方，其实莫朗也不会在，莫朗可以俯身在莫洛伊之上。如果从这一检查中不该得到任何特别丰盈或是有用的东西来施行委托令，我还可以建立一种报告，一种不一定是错误的报告。因为词语的错误并不注定会导致关系的错误，以我所知。不仅如此，而且我还会，从一开始就给予我的家伙，传奇人物的步态，接下来，这不会对我没用的，我有预感。所以我脱去我的外衣和袜子，解开我的裤子纽扣，滑到被子底下，良知很平安，很了解自己所做的事。

　　莫洛伊，或是莫洛斯，对于我并不是陌生人。如果我有同事的话，我一定会怀疑自己跟他们谈论过他，就像被招呼的某人，我们迟早要料理他的。但是我没有同事，我不知道自己是在怎样的情况下了解到他的存在的。可能我虚构了他，我是说发现他在我脑子里现成做好了。人们确实有时会遇到并不真是陌生人的陌生人，他们曾在大脑活动的某些片段中扮演过一个角色。这种事从未在我身上发生过，我自信自己不是有这种经历的人，连简单的似曾相识的感觉对于我也是极其遥远的。可是这却像是发生在我身上了。因为除了我还会有谁跟我谈起莫洛伊，并且除了对我自己我还会对谁谈论呢？我徒然寻找。因为在稀有的与人的交谈中我避免这类话题。要是有人跟我谈论莫洛伊，我会恳求他闭嘴，而我呢，我无论如何也不会把他的存在告诉给活着的灵魂。如果我有同事的话，那当然不一样。在同事之间，大家谈论在别的社会关系中避而不谈的事。可我没有同事。这就解释了我从这一事件的初始就感觉到的巨大的不安。因为这不是一桩小事，对于一个成熟男子自以为已达到出人意料之事的终极，却发现自己处于如此蒙羞的舞台上。这里真有值得让人警觉的地方。

莫洛伊大妈，或是莫洛斯大妈，对我来说好像也不是完全陌生的。但她远远没有她的儿子那么显著，上帝知道他远远说不上，显著我是说。其实对莫洛伊大妈，或是莫洛斯大妈我也许一无所知，除了这样一个儿子在她那里所留下的，犹如头饰碎片的痕迹。

在这两个名字，莫洛伊和莫洛斯中，我觉得第二个是比较正确的。但也有限。我所听到的，肯定来自我的内心深处，从声学上讲它是很差的，第一个音节，莫洛，非常清晰，紧接着是第二个模糊的音节，像是被第一个吃掉了，它可以是瓦，也可以是斯，是特，甚至是克。如果说我倾向于斯，那肯定是因为我的思想偏爱这个结尾，而别的结尾不能震颤任何音弦。但是当加贝尔说莫洛伊的时候，不是只有一次而是有好多次，每次都很清晰，迫使我认识到我也该说莫洛伊，而当我说莫洛斯的时候我是说错了。从此以后，我也要忘掉我的偏爱，强迫自己说莫洛伊，就像加贝尔那样。难道这不可以是两个不同的人，一个是我自己的莫洛斯，一个是调查中的莫洛伊，这个念头甚至没有触动我，即使它触动我的话我也会驱逐它，就像人们驱赶一只苍蝇，或一只大胡蜂那样。上帝，人们是多么与己不容啊。我赞叹自己冷静沉着，像水晶一样冰凉，并在虚幻的深处也像水晶一样纯净。

所以我知道莫洛伊，却不知道有关他的什么事。我将简要地说出我所知道的点滴。与此同时，我也将指出，在我对莫洛伊的认知中，那些令人震惊的缺憾。

他拥有极少的空间。时间对他也很有限。他总是不停地向前赶，像是在绝望之中，朝着极近的目标。一会儿，被困住，他朝着我不知道的一些窄小的边界奔去，一会儿，被追逐，他又朝着中心躲避。

他气喘吁吁的。他在我心中突然显现时也使我充满喘息。

即使是在光秃秃的荒野，他也像是在开道而行。他不是在行走而是在负荷。然而他行进得异常缓慢。他摇动着，忽左忽右，就像狗熊一样。

他一边转动着头颅一边高声说出些令人不解的话。

他很粗重厚实，甚至畸形。并且，他就算说不上是黑的，也是颜色阴暗的。

他总是在路上。我从未看到过他歇息。有时他停下来，向四周投去愤怒的目光。

他就是以这种样子，在非常遥远的间隔中拜访我。我比粗暴、沉重、气愤、窒息还要过分，没完没了地努力，狂怒而徒劳无益。这样做，与我的所作所为完全相反。这使我变了。我看到他消失，在一种全身的号叫中，几乎是遗憾地。

至于要知道他想要干些什么，我一点概念也没有。

没有什么能向我显示他的年纪。看到他这副样子，我对自己说他该一直是这样的，并且会一直这样保持到终结的时候，那余下的我难以向自己显示的终结。因为，想象不出是什么使他落得这种样子，我也想象不出以什么方式，让他能够以自己的能力，终结这一状态。我觉得一个自然的终结是不太可能的，我不知道为什么。但是我自己的自然的终结，我是这样决定的，难道同时不是他的终结吗？谦虚地，我不认为这已经实现了。再说，真的存在着不自然的终结吗，难道它们不也是在美丽的自然之中吗，那些无可否认的好的及所谓的坏的？我们不要徒然失去推测。

我也得不到任何关于他的脸的信息。我假定它毛发乱蓬蓬的，生硬而一副怪相。但没什么能允许我得出这样的结论。

一个像我这样的男人，总体上是如此平静而小心谨慎的，如此耐心地转向外界及哪怕是最微小的危害，是他的房子，花园，及他那微薄财产的造物，忠心耿耿而机智灵活地干着一份令人厌恶的工作，把他的思想限制在计算的范围之内，他那么畏惧不确知的东西，一个如此制造的男人，因为我就是一个产品，听任自己被幻想萦绕占据，这应该让我感到奇怪，让我去着手清理出个秩序来，为了我自身的利益。事情却不是这样。我只看到孤独的需要，这一需要肯定是不值得提倡的，但它需要得到满足，如果我想要孤独地待着的话，我要，带着与我对自己的那些母鸡与信仰同样微薄的热情，却带着同样的预见。其实它在我的存在的滑稽可笑的细木工活里占据着极微小的位置，它对于我的存在不会比我那些即刻就忘的梦境有更多的影响。在火灾中为救护大部分房屋而牺牲一部分房屋，这对我而言总是有道理的。要是我讲述我的一生的话，我甚至不会提到它们的存在，与别的相比更不会提到倒霉的莫洛伊。因为还有别的，更加扣人心弦的。

　　但是这种种影像，意志是只有在施行强暴的时候才能重新找到它们的。它们去掉一些又加进去一些。我使之再度浮现的莫洛伊，在这值得记忆的八月的星期日，肯定不完全是我底部深处的莫洛伊，因为还不是轮到他的时候。但是，就主要的粗略线条来说，我是可以放心的，相似之处已经在那里了。如果我发掘下去的话，二者的距离会更远。因为我所做的，既不是为了我所嘲笑的莫洛伊，也不是为了我所放弃的我自己，而是为了工作的利益，它需要我们来完成，而它的精髓却是不具名的，它将继续存在，常驻于人的精神，哪怕它的可怜的艺人们已不再存在了。人们将不会说，我相信，我没有严肃地对待我的工作。人们将带着，带着同情与怜悯说，啊，那些老伙伴，已经灭绝的种族和已经破碎了的模子。

有两点值得注意的地方。

我所小心谨慎地接近的莫洛伊不该与真正的莫洛伊相似，后者我即将与之拼搏，翻山越岭，在遥远的地方。

我可能在我如此这般捕捉到的我心目中的莫洛伊中，在不知不觉的时候，已经掺入了加贝尔所叙述的莫洛伊的成分。

一共有三个，不，是四个莫洛伊。我脏腑中的那个，即我以漫画手法描绘的那个，加贝尔的那个，还有有血有肉的在某处等着我的那个。我还要加上尤迪的那个，不在所有委托于他的事情上与加贝尔的那个惊人地一模一样。这样的推论不太好。因为我们能够严格地假设尤迪向加贝尔全盘托出他所知道的情况吗，或是他以为全知道的（所有的，对于尤迪而言）他的保护者？肯定不是。他只说了他认为对快速而有效地执行他的命令有用的东西。所以我还要加上第五个莫洛伊，尤迪的那个。但这第五个难道一定不会与第四个混淆，那如人所说的真正的那个，陪伴着他的影子的那个？我将付出极高的代价来搞清楚它。一定还有别的。但我们到此为止，如果您愿意的话，止于我们小小的知情者的圈子。我们也不要介入想知道这五个莫洛伊是固定在哪些基点上的，他们又是在哪些基点上是可以变动的。因为尤迪有这么个特点，他极其容易改变看法。就这样有三点注意。而我只预告了两点。

冰就这样破碎了，我凭着对加贝尔报告的支持并以正式材料为原则来作为自己评判的标准。看来调查终于要开始了。

差不多就是在这个时候，一声用力撞击的锣声，充满了整座房子。事实上已经是九点钟了。我起身，整理好衣服，迅速下楼。对玛尔特来说，事先告诉我汤已经在桌子上了，怎么说呢，正在凝结，这一直是她的一个小小的胜利和一个极大的满足。因为平时我总是在约定好的钟点之前的几分钟就坐在桌子跟前了，餐巾平展在胸脯上，手里碾着面包，摆弄着餐具，玩着刀架，等待着菜上来。我扑在汤上面。雅克在哪儿？我说。她耸耸肩膀。可恶的奴才的动作。告诉他马上下楼来，我说。汤在我面前不再冒热气了。它本来就冒着热气吗？她回来了。他不能下来，她说。我放下汤匙。告诉我，玛尔特，我说，这是什么做的？她告诉了我。我以前喝过吗？我说。她说是的，让我放心。那么是我没在我的盘子里喽，我说。这一挖苦使我其乐无穷，我笑得非常厉害以至于打起嗝来。玛尔特茫然若失，呆呆地望着我。他得下楼来，我最终说。您说？玛尔特说。我重复了一遍我的话。她看上去还是实实在在地很困惑。在这个小特里亚农宫里就我们三个人，我说，您，我儿子还有我。我说，他得下楼来。但是他很难受，玛尔特说。他将在垂危之际，我说，他将下楼来。有的时候怒气使我有点言词混乱。我不能为此抱歉。我觉得语言本身就是对语言的离异。我自然地忏悔出来。我怎么也要把自己抹黑一点儿。

雅克脸红通通的像朵牡丹。先喝你的汤，我说，再告诉我你的情况。我不饿，他说。喝你的汤，我说。我明白了他是不会喝的。你有什么好抱怨的？我说。我不舒服，他说。青春是多可憎的事情。试着明晰一些，我说。我故意用这个对所有的年轻人来说都有点难的词，因为几天以前，我向他解释过它的意思及用法。所以我大有希望他对我说他不明白。但他是个小精明，以他自己的方式。玛尔特！我高声叫着。她出现了。下一道，我说。我更注意地朝窗外望去。雨不仅停了，这个我已经知道了，而且在西天一道道绚丽的火红云霞越冲越高。这与其说是我透过我那片小树丛看到的，不如说是我猜想出来的。在如此美景，如此许诺面前，一股巨大的喜悦，我并不夸张，浸泡了我。我带着叹息转过身来，因为由美景激发的喜悦经常不是没有混杂的成分的，我看着面前我以恰如其分的理由所叫来的下一道菜。这又是什么?我说。一般在星期天晚上我们都吃冷的,星期六晚上剩下的家禽,鸡,乳鸭,鹅,火鸡,还有别的什么。我在饲养火鸡上总是很成功,我认为,从饲养上说,它们比鸭子更有趣。更精细,也许是,但有最佳的收入,对于懂得取悦,管理,简而言之对于懂得爱它们并为它们所爱的人来说是这样的。这是牧人菜,玛尔特说。我就着盘子,尝了尝。你把昨天剩的鸡怎么处理了?我说。玛尔特的脸上露出胜利的神色。她就等着这一问了,很显然,她就指望着它了。我想过了,她说,您最好是在出门之前,热着吃。谁告诉您我要出门了?我说。她朝着门走去,这是个信号,她肯定要射出一支利箭来。她只会在逃离的时候攻击人。我又不是瞎子,她说。她打开门。不幸的是,她说。她把门关在身后。

我瞧着我儿子。他嘴巴张着眼睛闭着。是不是你出卖了我们?我说。他装出不是的样子。你告诉玛尔特我们要出发了吗?我说。他说没有。为什么不呢?我说。我没看见她,他厚颜无耻地说。可她刚到你房间里去过,我说。菜已经好了,他说。有些时刻他几乎配得上我。但他不该提到菜的事。可他还年轻,还缺乏经验,我不再逼迫他了。试着告诉我,我说,说准确一些,你感觉怎么样。我肚子疼,他说。肚子疼!你发烧吗?我说。我不知道,他说。你弄清了,我说。他越来越显出一副蠢相。幸亏我喜欢交代得一清二楚。去找一支体温计,我说,在我书桌右手的第二个抽屉里,从上往下数的,量量你的体温再把体温计拿给我。我让几分钟的时间流逝过去,然后,没有被要求,又一字一句地,慢慢地,把这个长而难的,至少含有三个命令式的句子又重复了一遍。他既然是离开了,那就是懂了句子的最主要的部分,我兴冲冲地加了一句,你知道把它放在哪张嘴里吗?在与我儿子的交谈中,出于教育的目的,我任凭自己流入一些趣味可疑的玩笑。这些他不能即刻就能完全领略其趣的玩笑,它们应该是为数众多的,他可以在闲暇的时候仔细琢磨,或是与他的小伙伴们一同寻找出一个最似正确的解释来。这是一个极好的训练。与此同时,我把他年轻的思想引导到一条最为丰盈肥沃的路上,那就是对身体及其功能的恐惧。但是我的话没组织好,我本应该说,别弄错了进口。那是我在细看牧人菜的时候懊悔的。我用我的叉子探测它。我叫来玛尔特对她说,她的狗不要一点吗。我带着微笑,想着我的书桌总共只有六只抽屉,在我放腿的空间两边各有三只。既然您做的晚餐没法下咽,我说,请您行行好用您那没吃了的鸡肉做一包三明治。我儿子最终回来了。找出一支体温计真是难。他把温度计递给我。你至少擦过了吧？我说。看到我瞪着水银线，看他走到门那儿把灯开开了。尤迪是多么遥远啊，在这一时刻。有的时候在冬天，在白跑了一整天之后精疲力竭困顿不堪地回到家来，我发现我的拖鞋在火前暖着，鞋面朝向火焰。他是发着烧。你没什么的，我说。我能上楼去吗？他说。为什么？我说。躺着，他说。这不正是一个成年力量正在发展的例证吗？毫无疑问，但我不敢激发它。我不会把可能击倒我使我再也爬不起来的雷电引到自己身上来，只是因为我儿子得了肠绞痛。要是他真的病在了路上，那将是另一码子事了。我没有白研究《旧约》。你拉屎了吗，我的孩子？我温柔地说。我试过了，他说。你想拉吗？我说。想，他说。但是拉不出什么，我说。是的，他说。有点风，我说。是的，他说。我突然想起安布普瓦兹神甫给的雪茄。我点上它。我们来看看，我说，我站起身来。我们上了楼。我用盐水给他灌肠。他挣扎了一番，但时间不长。我拔出插管。试着留住它，我说，别坐在便盆上，平着趴下。我们在浴室里。他趴在瓷砖上，大屁股朝天。让它好好渗进去，我说。这是怎样的一天啊。我注视着雪茄的烟灰。它是蓝色而稳定的。我坐在浴缸的边沿上。陶瓷,镜子,铬质,使一种巨大的安宁降临到我身上。至少我设想安宁缘于它们。其实也不是一种巨大的安宁。我站起身,放置好雪茄并刷起门牙来。深处的牙龈,我也刷一刷。我看着自己,嘴唇翘着,在静止的时候它们是收回到嘴里去的。我看上去像什么?我对自己说。看到我的小胡子,像惯常一样,我很恼火。胡子修得不到家。它很适合我,没有小胡子我是无法想象的。但它应该更适合我。我应该小小地改动一下胡子的形状。但是哪种形状呢?太多了,不够?现在,我说,没有停止探察自己,回到便盆上去拉。难道不更是颜色的问题吗?一声排泄的声音把我拉回到不那么高层的烦恼上。他哆嗦着站起身。我抓着便盆的手柄,把便盆倾向一边,又倾向另一边,我们一同俯身其上有好长时间。几条粗糙的刨花状的东西漂在发黄的液体里。在你肚子空空的时候,我说,你怎么会想拉呢。他提醒我他吃过午饭了。你什么也没碰,我说。他沉默了。我也只碰了一碰。你忘了过一两个小时我们就要出发了,我说。我不行,他说。所以,我接着说,你应该吃些东西。一阵强烈的疼痛穿过我的膝盖。你怎么了,爸爸?他说。我任自己摔落在矮凳上,我撩起裤子,瞧着膝盖,把腿弯曲起来又伸直了好几次。快拿碘酒来，我说。你坐在上面了，他说。我站起来，裤子重新掉落到脚踝周围。在这些事情的惯性中真有让人着实发疯的东西。我发出的那一声吼叫，埃尔斯纳姐妹准是听到了。她们停止阅读，抬起头，对视着，倾听着。再也没什么了。一个夜里的叫声，又是一个。两只老手，布满青筋，饰着戒指，互相摸寻着，紧挨着。我重新提起裤子，狂怒地把它卷到大腿之上，掀起矮凳的盖子，拿出碘酒涂抹在膝盖上。膝盖处满是活动的小骨头。让它好好渗进去，我儿子说。为了这句话他会付出代价的。都弄完了以后，我把一切都放回原位，放下裤卷，重新坐在矮凳上倾听。什么也没有了。除非你是想我们来试一剂真正的催吐剂，我说，就像什么也没发生过一样。我困了，他说。你这就去睡，我说，我会给你拿到床边去，你喜欢的一点儿小点心，你睡一会儿，然后我们一块儿出发。我一把把他拉到胸前来。你认为怎么样？我说。他说，是爸爸。在这一时刻，他爱我与我爱他一样多吗？人们永远也不会知道这个小阴险。快去睡觉，我说，盖好被子，我马上就来。我下楼到厨房里，准备了一下，在我美丽的漆器托盘上摆上一碗热牛奶和一片果酱面包。他想要一份报告。他会有的，他的报告。玛尔特瞧着我，什么也没说，仰卧在她的摇椅里。就像一个牵线出了故障的帕尔卡。我把一切都收拾得很干净了朝着门走去。我能去睡了吗？她说。她等到我站着，手里端着托盘的时候，才问这个问题。我出了门，把托盘放在楼梯下面的一把椅子上，重新回到厨房里。您准备三明治了吗？我说。在这个时候牛奶在变凉并凝结出一层讨厌的皮来。她准备了。我要去睡了，她说。大家都睡。您得在一两个小时后起来，我说，为了插门。让她自己去决定吧，在这种情况下值不值得去睡。她问我要离开多久。她知道我不是独自一人出门吗？肯定知道的。她上楼叫我儿子下来的时候，即使他什么也没跟她说，她也一定注意到了那个背包。我不知道，我说。然后马上，看到她那么老，比老还糟，正在衰老，在她永恒的角落里那么孤单忧伤，不会太久的，去吧。我用对我而言是热情的字眼，鼓励她，在我不在期间好好休息休息，去拜会朋友散散心，并接待朋友到这里来。不要舍不得茶和糖，我说，万一您要用钱的话，去找萨沃里东家。我把这突然而至的友善一直推及与她握手的地步，一旦她弄明白了我的用意，她就在她的围裙上拼命地擦手。手握完了，我还是没有放开它，这只又红又软的手。我用指尖抓住她的一根手指，把她拉向我并盯着她。我会倾洒泪水，像急流一样，连着好几个小时。她一定在自问我是否要向她提出一些不体面的建议。我把她的手还给了她,拿了三明治走了。

玛尔特服侍我已有很久了。我经常出门旅行。我从未以这种方式向她告辞过,而总是从容随便的,即使在我恐怕我的旅行会延长的时候也是一样,那一天可并不是这种情况。有时候我一句话也不跟她说就走了。

在去我儿子的房间之前,我先去了自己的房间。我嘴里一直叼着那支雪茄,但那好看的烟灰不知掉在了什么地方。我责备自己太不当心了。我在牛奶里加了些催眠药粉让它溶解。我将没有任何恩惠赐予他。我正端着托盘要走的时候,一眼看到了我书桌上搁着的两本集邮册。我自问是否能撤回我的禁令,至少是有关那册副本邮集的禁令。刚才他来过这里,找体温计。他花了不少时间。他会不会利用这机会拿几张他最喜欢的邮票?我没有时间全部检查。我放下托盘,随意地翻找几张,一马克的胭脂红色有漂亮轮船的多哥邮票,1901 年的十瑞斯的尼亚萨湖邮票,还有一些别的。我非常喜欢尼亚萨湖邮票。它是绿色的,画面上一只长颈鹿正在啃一棵棕榈树的树顶。这些邮票都在它们的位置上。我断定自己不能更改已自由做出并清楚陈述的决定,以免我的权威受到损害，那可是不能容忍的。我为此感到些许遗憾。我儿子已经睡了。我把他弄醒。他一脸苦相厌恶地把我端给他的东西吃了喝了。他就是这么谢我的。我等到最后一滴牛奶最后一点面包屑，在他嘴巴里消失掉。他侧身转向墙壁，我为他塞好被子。只差一发之距我就吻到他了。他和我都一言不发。在这一时刻，我们不再需要语言。况且我儿子极少会先开口跟我说话。而当我跟他说话的时候，他经常异常迟缓地回答我，仿佛是力不从心。可是当他跟他的小同伴们在一起，又以为我在远处的时候，他说起话来是那么滔滔不绝，真令人难以置信。但愿是我的在场熄灭了他的才华，这一点儿也不使我不悦。沉默及倾听，一百个人里也没有一个人做得到，更不用说设想这一行为的含义了。然而只有超于荒谬的喧闹之外，人们才得以分辨出生成宇宙的沉寂。我渴望我儿子拥有这一便利。让他置身于那些庆幸自己明察秋毫的人们之外吧，我从未奋争，苦心经营，制造机会，过得像个唠唠叨叨的人，以让我儿子也如此作为。我踮着脚尖离开了。我心甘情愿把自己的职责尽到底。

　　既然我在这种大限之前退却了，说出来我要表示歉意吗？我把这一暗示交之于偶然。不特别对它感兴趣。因为在描写这一天的时候，我又成了那个苦苦经受它的那个人了，把整个一生的焦虑与无聊充塞给它，只为了麻痹自己，不用做该做的事。正是这样我的思想把莫洛伊拒于千里之外，正如此夜我的这支笔一样。已经有好长时间了，这一内心的坦白萦绕着我。不使我轻松。

我带着一种苦涩的满足思索着，要是我儿子倒在了路上，那可不是我想要那样的。每个人都有他自己的那份责任。我知道它是不会妨碍人安睡的。

我对自己说，在这片屋顶下有什么东西阻止我作出反应。一个像我这样的男人，在这些退缩中，是不会忘却他所躲避的东西的。我下楼到花园里，在几乎是完全的黑暗中溜达。我对花园若不是最熟悉的话，那我就会到树丛或蜂房那儿去。我的雪茄在我没留意的时候熄灭了。我抖了抖它，把它装进了衣袋，想过后再把它扔到烟灰缸或纸篓里去。然而第二天，在远离西特的地方，我发现雪茄还在衣袋里，哎，我不是不满意的。因为我又能再吸上几口。当我发现牙齿之间是凉了的雪茄，我就把它吐掉，接着又在黑暗中找寻它，把它再拾起来，问自己该怎么办，在抖掉烟灰把它装进口袋里的时候，我想起了烟灰缸和纸篓，这只是一连串过程中的主要环节，我使它们持续了至少一刻钟。还有别的，关于狗祖鲁，被雨水加重了的我欣然在头脑中手中寻找其源头的香气，哪户邻家微弱的光线，另一户人家的一声动静，还有别的与之相随的思绪。我儿子的窗口发出微明。他喜欢床边伴一盏小夜灯睡觉。我想让他去掉这一偏好。好长时间以来他不怀里抱着他的绒毛熊就不能睡觉。当他忘掉这只熊（让诺）的时候，我再去关掉他的小夜灯。这一天要是没有我儿子的节外生枝我会做些什么呢？大概是尽我的义务吧。

我看自己在花园里跟在家里一样没什么果敢的表现，就重拾旧路往房子里走，一面告诉自己有两种可能，要么房子本身对于我所改换的令人沮丧的空间是不负有任何责任的，要么我应该指责我整个的小领地。我采纳了第二种假设，原谅了自己的所作所为，并且，在事先就给予了自己在出发之前的所作所为的原谅。这一假设带给我整体上的开脱以及片刻的虚假自由。所以我采纳了它。

从远处看，厨房处于黑暗之中。从某种意义上说是这样的。而从另一种意义上说又不是。因为把眼睛贴在玻璃上，我分辨出一片微弱发红的光亮，它不会是火炉发出的，因为我没有火炉，只有一只简单的煤气炉。是一只火炉，如果您愿意的话，但是是用煤气的火炉。

就是说在厨房里也有一只真正的火炉，但它改变了用途。您想怎么样呢，在一幢没有煤气炉的房子里我是不会感到自在的。我喜欢在夜里中断我的散步，凑近那些或明或暗的窗户，往房间里探视，瞧瞧那里在发生些什么。我用双手遮住脸，从指间望出去。这一举止吓着了不止一个邻居。他会急忙跑出来，又找不到任何人。即使是那些最幽暗的房间也会从阴影中向我显露出来，仿佛它们还充满着已消失的日光，或因多少可公开承认的原因而刚刚熄灭的灯盏的光亮。但是厨房里的微明是属于另一类范畴的，它是从玛尔特房间里的那盏红色球形灯盏里发出的，它夜以继日地点燃在悬挂在墙上、用木头雕成的一尊小小的圣母像的脚下。她厌倦了在藤椅里摇晃，离开了厨房去自己房间的床上躺下了，并让房间的门敞开着，为了能听到整幢房子里面的动静。可也许她已经睡着了。

　　我又回到楼上。我在我儿子的门前停下。我弯下腰把耳朵贴在锁孔上。别人是把眼睛贴在锁孔上的，我呢，是耳朵。什么也没听见，我异常惊奇。因为我儿子睡觉的时候嘴巴大张，发出很大声响。我防备自己去把门打开。因为这一沉寂有那么一会儿，在我脑际里萦绕。我回到自己的房间里。

这件事看起来是前所未有的，莫朗在对所投身之事一无所知的情况下做出发的准备，没有看地图和索引，没有考虑道路及行程阶段的问题，对天气形势毫不在意，对于要拿什么工具，远足将有多长时间，需要多少钱，工作的性质是什么以及实施的方法只有一些含混的概念。然而我吹着口哨，在我的包里塞上起码的类似于我指示给我儿子带的衣物。我穿上我的那套椒盐色的旧猎人装，裤子在膝盖以下扣着扣子，袜子是配套的，以及一双结实的高帮鞋。我弯下腰，两手撑在大腿上，看着我的双腿。细长而膝盖朝外翻的双腿，它们与这套装束很不相配，况且村庄的人也不认识我。但当我在夜里出门，目的地又遥远的时候，我很乐意穿这套服装，尽管扎眼可笑，我也觉得自在，我只差一张蝴蝶网就会隐隐像个在病后休假的乡村教师了。重重的高帮皮鞋闪烁着黑色光泽，看起来像是乞求一条深蓝色的哔叽裤的协助，它在整体上起了画龙点睛的作用，没了它在那些不那么在行的人看来，会是个对于好色调的低劣口味的表达。至于帽子，在犹豫了很久以后，我决定戴我那顶，被雨水浸黄了的草帽。它失去了饰带，因而显得高耸得不相称。我差点带上我的黑披风，但最终我更看中一把大手柄的雨伞。披风是实用的衣服，我有好几件。它使双臂有极大的活动自由并能同时把它们掩饰起来。在某些情况下,披风可以说是必不可少的。然而雨伞也有极大的好处。如果是冬天,或哪怕是秋天,而不是夏天的话,我可能会二者都带上。我已经这样做过,并且对自己只有夸赞而已。

这样穿扮了以后我几乎不能指望从人前经过而不被注意。我就想这样。惹人注目,我所做的职业,是艺术的幼稚阶段。使人产生怜悯之情,宽容之心,引发出哄然大笑或嘲讽,这都是不可或缺的。在秘密之柱上有如此众多的螺母。条件是不能被感动,不能诋毁,也不能笑。我可以轻而易举地进入这种状态。接下来还有夜晚。

我儿子只会妨碍我。他看上去像与他年龄境遇相同的无数男孩。一位父亲,马上就显得更加庄重。即使是怪诞的也令人肃然起敬。而当人们看到他与年少的儿子游荡,后者的脸又越拉越长的时候,那就没法干什么事了。人们会把他当作鳏夫,即使是最愉悦的情调也无济于事,反而会使情况更糟,硬强加给他一个早逝的很可能是死于生产过程的配偶。而人们在我的古怪行为中所看到的只是鳏居的结果,这就贬低了我的智力。我对给我设置如此障碍的人大动肝火。他最好是希望看到我歇下来,要是他不能更好地知道如何行事的话。如果我能够以我惯常的冷静来思索我被要求去做的工作的话，我也许会根据它的性质判断出我儿子的在场是方便的而不是有碍的。但是我们不要再回到这个问题上来了。也许我可以让他装成我的助手，或仅仅是个侄子。我将禁止他在外人面前叫我爸爸，或对我做出亲热的举动，否则他就会受到他所万分惧怕的侮辱。

　　如果，在我转动这些阴沉的念头的同时，我竟然时不时地吹了几回口哨，那是因为在内心深处我准是很高兴就要离开我的房子、花园、村庄了，而我惯常是以遗憾的心情离开它们的。有些人无缘无故也吹口哨。我可不是这样。我在房间里来来回回，按部就班，在衣橱里整理衣服，在隔档里收拾帽子，我刚把它们全都翻腾了一遍，为了自由地进行我的选择，我用钥匙把各个抽屉锁上，在做这些事的时候，我带着快乐看到自己远离我所在的乡镇，那些熟悉的脑袋，及所有我的救赎的锚索，在黑暗中坐在一块界石上，双腿交叉，一只手放在大腿上，手心托着胳膊肘，另一只手托着下巴，两眼盯着地面，像盯着一副棋盘一样，冷冷地做出我的计划，为下一天，下下一天，创造出即将来临的时日。然而我忘了我儿子将在我的身边，躁动不安，抱怨着，吵着要吃要睡,还弄脏衬裤。我打开床头柜的抽屉,拿了一整管的吗啡药片,这是我最喜欢的镇静药。

我的钥匙串非常巨大,有一磅重。没有一把门或抽屉的钥匙,在我离家的时候,不与我随身。我把它们放在我裤子右边的口袋里,确切地说是放在我短裤的口袋里。我用一条粗重的链子系在我的背带上,以防备我把钥匙弄丢。这条链子,比应有的长度多出四五倍,蜷曲地停留在我的口袋里,垂在钥匙串上。当我疲劳的时候,或是忘了借助于肌肉的力量来平衡自身的话,这一重量就会把我坠向右侧。

我朝周围瞥了最后一眼,注意到自己忽略了一些预防措施,就加以补偿,我拿起了皮挎包,我差点用笔记录下我的吉他,我的扁平的窄边草帽,我的雨伞,我希望自己什么也没落下,我熄了灯,走到走廊里,用钥匙锁上房门。我立刻听到了一声呼吸被抑制的声音。是我儿子在睡觉。我叫醒他。我们一刻也不能耽误了,我说。他绝望地紧紧附着在他的睡眠里。这很自然。即使是几个小时的死睡也不足以满足被消化不良而惊扰的青春发育的器官。我摇晃他,帮他起来,先是拽他的胳膊,接着拽他的头发,他狂怒地转身背朝着我,面朝着墙,指甲深陷在床垫中。我不得不使出全身气力来终结他的抵抗。然而我刚勉强地把他弄下床他就挣脱了我的怀抱，扑在地上滚着，发出愤怒反抗的号叫。这就已经开始了。在这令人厌恶的展示面前我来了力量，运用起我的雨伞，用两只手，抄起它的顶端。但是我还有话要说，关于我的草帽可不能忘了。边上穿了两个洞，自然是每端一个，是我自己弄的，用的是摇钻。在这两个洞里我固定上一条长得足以绕过我的下巴，或确切地说是我的颌骨的松紧带的两端，但它也不是太长，因为它得在我的颌骨下，调节得刚刚好。用这种方式，不管我的肌肉如何扭曲，我的草帽总是保持原位，在我的头上。你不害臊吗，我喊叫着，让人恶心的没教养的！如果我不小心的话我就要发火了。而发火是我不能允许自己拥有的奢侈。因为我会因而变得盲目，一道热血的帘幕会挡在我的眼前，就像大古斯塔夫一样，我听到重罪法庭条条长凳的吱扭声。哦，那不是因人们温和，有礼，有节制，有耐心，日复一日，年复一年就可不受惩罚了。我丢掉雨伞赶快冲出房间。在楼梯上我碰到了正上楼来的玛尔特，她没戴睡帽，头发披散着，衣服凌乱。出了什么事？她叫道。我望着她。她转身回厨房去了。我浑身发抖，奔向工具间，拾起斧子，冲到院子里猛力地砍击一个老树墩，那是我冬天的时候静静地在那儿劈木柴用的。斧刃深深地陷入树墩中,我拔不出来。我的这番努力因为精疲力尽,给我带来了平静。我重新上楼。我儿子在穿衣服,他哭着。大家都在哭。我帮他背上背包。我告诉他别忘了带雨披。他想把雨披放进背包。我叫他这会儿先夹在胳膊底下。几乎是午夜了。我拾起我的雨伞。它完好无损。往前走,我说。他走出了房间,在随着他出来之前,我朝房间里看了片刻。那里凌乱不堪。外面天气不错,以我谦虚的观点来看。空气里散发着香气。砾石在我们的脚下叫唤。不,我说,从这儿走。我走入小树林。在我身后我儿子踉踉跄跄,撞在树干上。他不会在黑暗中行走。他还年轻,我唇间喃喃唠叨着责备的话。我停下来。拉着我的手,我说。我本该说,伸出手来。我说,拉着我的手。奇怪。但是小径太狭窄了,我们无法并进。于是我把手伸到背后,我儿子抓住它,我觉得他是带着感激之情这样做的。如此这般我们来到了锁闭的粗糙的栅栏门前。我打开它并退开身,为了让我儿子先过去。我转身朝着我的房子。小树林挡住了它的一部分。锯齿状的屋脊,唯一的四管烟囱,被天空勉强地衬出的几颗被淹没的星星在那里垂涎着。我的脸面对这片属于我的黑暗芬芳的浓密植物,在那儿我可以做任何我想做的事而没人能指责我。那儿有无数唱歌的小鸟,脑袋藏在翅膀下面什么也不怕，因为它们认识我。我的树木，小灌木丛，花圃，小草坪，我相信自己是爱它们的。如果有时我截去一根树枝，一支花，那只是为了它们好，为了让它们长得更茂密更愉快。但我也是紧缩着心而那么做的。其实很简单，我自己不做，我让克里斯蒂做。我不种蔬菜。鸡舍在不远的地方。在说到我有火鸡等等之物的时候我说了谎。我只有一些母鸡。我的灰母鸡在那儿，不是在栖木上跟别的鸡在一起，而是在地上，在一角，在灰土中，任老鼠摆布。公鸡不再朝它过来，狂暴地跳到它的身上。如果它不见好转，那么那一天就要临近了，别的母鸡，会用喙和爪，合伙把它撕成碎片。一切都将发生在安静之中。我的耳朵异常敏锐。但我根本不是搞音乐的人。我捕捉到这些由踩踏、扑打的羽毛，低微的马上压制下去的咯咯叫声组成的令人喜爱的声响，它是夜间鸡舍的声息，在黎明前止息。在一些夜晚我带着喜悦倾听，对自己说，明天我有空。就这样我最后一次转身朝向我的小小产业，在离开它之前，带着保有它的希望。

　　在小巷里，我锁上了栅栏门，我对我儿子说，往左走。我放弃了跟儿子一起散步的习惯已经有好长时间了，尽管有时这一欲望会很强烈地出现。跟我儿子在一起，即使是出趟小小的门对我来说也是一场酷刑，他总是迷失方向。而却像是会抄所有的近路。每次我叫他去杂货铺，或是去克莱芒特太太家，或甚至是去更远的地方，到 V 路上去买种子，他都只用我走同样的路程要花费的一半的时间就回来了，还没有奔跑。因为我不想让人看到我儿子在路上蹦蹦跳跳，像他偷偷交往的那些小无赖一样。不，我要他走路跟我一样，步子小而急促，头高高昂着，呼吸均匀适中，双臂摆动着，不朝左右顾盼，就像什么也没看见，而事实上对路上任何微小的细节都加以关注。而跟我在一起的时候，他无一例外地拐上错路，只要是个十字路口或是个简单的岔路口都会使他偏离正路，即我所选择的路。我相信他不是故意的。而是依仗着我，他不再注意自己的所行所为，不看着要去的方向而是机械地前行着，沉陷在一种梦境中。仿佛他任凭任何一个可能使他消失的路口把自己吸进去一样。以至于我们习惯于每人各自在自己的一边溜达。我们在一起所做的唯一的规律性的散步是，星期天的时候，从家里到教堂，又在弥撒结束了之后，从教堂到家里。卷入那批信徒的潮流里，我儿子不再是单独地跟我在一起。他归属于这温顺的羊群再一次去感谢上帝的善行，去求得原谅及仁慈，然后再回来，灵魂安然，趋向于别的满足。

  我等他折回来，然后一了百了地说出解决这一问题的话。你跟在我后面，我说，跟着我。这一解决办法是有益的，从各方面来看。但是他有能力跟着我吗？难道那一时刻不会命定地到来吗，在他抬起头来的时候，发现自己孤身一人，在陌生的地方，而我呢，翻腾在自己的思绪中，我回过身来只有面对他的失踪？有那么一会儿我玩赏着用一根长绳子把他拴起来的主意，绳子的两头各自缠在我们的腰上。有很多方式可以引人注目，我不能肯定这属于好的那种。况且他会悄悄地解开自己那头的绳结，从容跑掉，而让我继续行路，在尘土中拖着条长长的绳子，就像个加莱义民一样。一直到某一时候，绳子被一个固定的或沉重的东西挂住，阻住了我的冲力。那么应该用一条铁链，来取代一根柔软无声的绳子，这是不应该设想的。然而我却设想并在一瞬间中纵情想象，想象自己在一个不那么糟糕的世界里寻找用什么方式，只拥有一条简单的链子，而不是任何种类的枷锁颈圈手铐铁镣，我便可以把我儿子拴在自己身边，以至于他不会再脱离对我的陪伴。这只是简单的结呀扣呀的问题，如果需要的话，我会解决的。然而我又看到我儿子不是在我后面，而是在我前方行进的样子。从这样的位置我可以留神他,并在他做出错误举动的时候上前干预。但是在这次远行中,我除了要负起监督或看护他的任务以外,还有别的职责要行使,一想到每走一步都得盯着这一阴郁丰满的小身躯,我就觉得不能忍受。到这儿来!我叫道。因为听到我说应该往左走他就往左走了,好像是存心要让我发怒一样。我消沉地支撑在雨伞上,脑袋歪着像顶着一个诅咒,空着的手的手指在栅栏门的两块木板之间,动也不动如同一座雕像。他第二次退了回来。我叫你跟着我你却超在我前头,我说。

那是一个暑假。他的学生帽是绿的,上面有缩写字头,正前方绣着一头金色的鹿或是野猪。帽子扣在他巨大的金黄色的脑袋上,正好像一层包膜。这正是他戴它的乐趣所在。在这种如此稳当地戴着的帽子里,有什么我说不出来的让人恼怒的东西。说到他的披风,他没有像我叫他做的那样,把它夹在腋下,或搭在肩上,而是把它揉成一团拿在双手里,靠在肚子上。他就这样站在我的前面,两只大脚叉着,膝盖弯着,肚子挺着,上身收着,下巴伸着,嘴张着,像个彻头彻尾的飘浮物体的固定物。我也一样像是仅仅依靠着雨伞及栅栏门的支撑我才得以站立着。我终于能够说出话来了,你有能力跟着我吗?他不回答。但是我抓住了他的思绪,清晰得如同他表达出来了一样,那就是,那你呢,你有能力带领我吗?午夜的钟声敲响了,我亲爱的教堂发出的钟声。没什么的。我不再在自己的地方了。我在头脑中寻找着,我所有需要的东西在哪里,他身上会有什么他宝贝的东西。我希望,我说,你没忘了你那把童子军刀,我们会用得着的。那把刀除了有五六把最必需的折刀,还有一把拔塞钻,一把开罐头刀,一把锥子,一把螺丝刀,一把起钉器,还有我说不上来的别的无用的玩意儿。那是我给他的,在他第一次获得历史与地理一等奖的时候,这两门学科出于一些晦暗的原因在他所在的学校里被等同看待。懒笨学生中的最后一个在所有触及文科及所谓精确科目的项目时,他是没有任何对手的,在那些战役的日期、革命、复兴及人类其他的在其缓慢的趋向光明的进程中的战绩上,同样也在他描画出边界及险峰的纬度的时候。这完全值得一把野营军刀。别跟我说你落在家里了,我说。当然没有,他说,带着骄傲与满足,拍了拍他的衣袋。那好,把它给我,我说。他自然没有回应。他没有重视第一次警告的习惯。把刀给我,我叫起来。他给我了。您想他会做什么呢,在黑夜中单独跟我在一起,四周没有一个证人?这是为了他好,为了避免他迷途。因为哪里有他的这把刀,哪里就有童子军之心,除非他有办法另买一把,而我儿子的情况并非如此。因为他身上从不带钱,没这个必要。而他把自己得到的每一个便士,他得到的并不多,都先放进他的意大利储钱罐里,然后放入储蓄银行,存折是由我拥有着的。在这一时刻他毫无疑问很乐于把我的喉管割断,就用这把我那么稳当地放入衣袋的刀子。但他还太嫩了,我儿子,还太软,做不出大桩的义举。然而时间在他一边,他也许这样安慰自己,尽管他是这么蠢。不管是什么情况,这次他忍住了眼泪,我很感激。我重新挺起身子,把手放在我儿子的肩头上,说,耐心点儿,儿子,耐心点儿。在这类事里可怕之处在于,当人们有欲望的时候却没有能力,反之亦然。但在这点上我儿子还没有发生过质疑,可怜的,他一定认为这一使之震颤,使之面容大乱的狂怒,会一直跟随他,直到他赢回名誉的那一天。还有呢。是的,他一定自认为具有小唐泰斯之灵,其猴子把戏对于他真是再熟悉不过了,正如阿歇特出版社冒昧提供的那样。然后,在这无能为力的肩胛骨上好好拍了一下,我说,上路。我的天,我就这样上了路,我儿子在我身后。我出发,在我儿子的陪伴之下,与我接到的指示完全符合。

我不想讲述在我们到达莫洛伊的故乡以前，我和我儿子所遇到的各类奇遇，当我们两人在一起的时候，或是分开的时候。那是令人厌倦的。但阻止我的并不是这个。在这一强加于我的故事里，一切都是令人厌倦的。但是我将愿意讲述它，在某一限度之内。如果它不能取悦于隐名的合伙人的话，要是他从中发现了一些冒犯他及同伙的片段的话，那算我们大家活该，算他们大家活该，因为对于我已没有再坏的了。那就是说我得有比目前更多的想象力来对此形成一个见解。然而我不像从前那么具有想象力了。而这一忧伤的舞文弄墨的工作并不发自我的内心，我屈从于它的原因并不是像人们想象的那样。我仍然服从命令，如果人们愿意的话，但这并非出自畏惧。但事实是这样的，我一直害怕，可这更是一个习惯性的后果。我听着的那个声音，我不再需要加贝尔来向我转达。因为它就在我内部并激励我充当这个我一直充当着的忠诚的奴仆，出于一个与我无关的动机，并使我耐心地完成我的角色，直至它最终的苦涩与极限，正如我想要，以我的意愿，要别人去做的那样。而这是在主人的憎恨及他的宏图的蔑视中进行的。随便怎样，这是一个足够暧昧的声音，在其逻辑与旨意上不总是容易跟随的。然而我却跟随着它，多多少少地，跟随它，以我所理解的，跟随它，以我所服从的。我认为人们能讲出这么多东西的声音是稀有的。我感觉到自己此后会跟随它，不管它吩咐我做什么。而当它沉默的时候，我将等待它重新回来，在无所作为之前，整个世界都必须通过它不可胜数的一致的权威，来命令我做这做那，违者将予以难以形容的虐待。但是今晚，今早，我喝得比平时稍多了一点儿，也许明天我会有不同的看法。它还对我说，这个我刚刚开始认识的声音还对我说，对于那个我细心地进行到底的任务的回忆将帮助我忍受自由与漂泊的漫长苦痛。这是不是说我将要被驱逐出我的房子，我的花园，有一天，我将失去我的树，鸡，小鸟，我对它们每一只都很熟悉，每一只都用它自己独特的方式唱歌，飞翔，朝我落下或在我近前时逃掉，以及失去我内心的所有荒谬的温情，在那里，每样东西都有它的位置，那里我拥有所有唾手可得的用以坚韧地做一个男人的东西，在那里我的敌手无法触及我，我放置了我的生活来建设、美化、完善、保留？我太老了，不能失去这一切，重新开始，我太老了！好了，莫朗，镇静些。别激动，行行好吧。

我说过我是不会讲述从我的故乡到莫洛伊的故乡的途中的所有那些曲折的，原因很简单，这不在我的意图之内。在写下这几行字的时候，我知道自己会怎样招致那个毫无疑问我现在比任何时候都应该更谨慎地去对待的人的不愉快。但我还是这样写，用坚定的手，如同毫不留情的梭子，它啃噬我的纸页，犹如无情的祸患。但是我将简短地讲述几桩，因为我觉得这是合人意愿的，也为了把我异常成熟的工作方法给人做出一个概念来。但是在这之前我先要说一说，在离开我的家的时候，我所知道的那一点点关于莫洛伊的家乡的情况，它与我的家乡是如此不同。因为这正是这一令人厌烦的工作的特征之一，它不允许我突飞猛进直截了当地说出它所涉及的到底是什么。而我应该再次对我所得知的浑然不知，而相信在我出门的时候所自以为知道的。要是我时而回避了这一规则，那只是在一些无关紧要的细节上。而在总体上我是遵循着它的。以这一并不是夸张的热情，即使在今天，大多数的时候我都更近于发现者而不是叙述人。在我房间的寂静中，与我相关的事件已经归类存档了，我很难更清晰地知道，我将去哪里，以及在那个夜晚，在小巷里我紧抓着栅栏门，鲁莽的儿子在我身旁的夜晚，等待我的将是什么。在接下来的篇幅中，如果我偏离于真实事件的进程，我将不会吃惊。但即便是对西绪弗斯，我认为他也不是被强制性地规定搔挠自身,或呻吟,或狂喜,而以此相信一个时兴的教条,总是在一模一样的地方的。甚至有可能人们并不是确切地跨在他在预期的期限中,到达正确的山口时所选择的道路上。而又有谁知道他不是每次都以为那是第一次呢?这使他保持在希望之中,不是吗,希望是卓越可怕的圈套,与我们直到今日能够认为的恰恰相反。当看到自己没有终结地重犯错误的时候,它使我们感到舒适自在。

莫洛伊的家乡是指那极有限的,他从来也没有越出过,以后可能也不会越出的行政地域,也许他被禁止越出,也许他不想越出,也许他从未越出这一事实只是一个极其偶然的结果。相对于我所居住的地方,这一地域位于北方,它是由任何人都不会称之为镇,一些人会把它当作是村庄的居民点,及周围的乡野所组成的。这镇子,或这村庄,我们就干脆叫它村庄吧,称为巴里,与属于它的土地连在一起,它代表着一片方圆最多五六英里的面积。在发达的地方这叫作一个市镇,我相信,或一个区,我不知道,但在我们这儿却没有一个抽象统一的字眼来命名这种地域分支。然而我们却拥有另一套既美丽又简单且惊人的表述方式,在我们要说巴里的时候(既然我们讲到的是巴里)我们说巴里,在我们要说巴里以及属于它的土地的时候我们说巴里巴,而在我们要说除去巴里本身的巴里的土地的时候我们说巴里巴巴。举例说吧,我曾生活在,好好想一想的话我一直生活在,西特,西特巴的首府。晚上,我散步的时候,这是关于乘凉的故事,是在西特之外,我所乘的是西特巴巴的凉,而不是任何别处的凉。

巴里巴巴,尽管地方不大,却拥有各种地表。一些所谓的牧场,一点儿泥炭沼,几处野树林,当人们逐渐接近其极境的时候,能看见一些起伏的几乎是欢愉的地貌,好似巴里巴巴很高兴自己不会走得更远。然而这一地带的主要美景是一处狭窄的小湾,缓慢而呈灰色的海潮在此把水排空又填满,排空又填满。最不浪漫的人们倾镇而出,为了观赏这一景观。有人说,没有任何别的东西比这些勉强湿润的沙子更美丽了。有人说,应该来巴里巴小湾一看的,是高高的海潮。那是怎样的美景呢,水是铅灰色的,让人以为是一潭死水,要是人们没被告知情况恰恰相反的话!又有人最终肯定它像是一个地下湖。但所有的人都一致认为,依照伊西尼居民的样子,他们的城是座海上之城。并且把海上巴里的字样放在他们的信纸抬头上。

巴里巴人口稀少,坦率地说这事让我事先

就觉得高兴。那里的土地不利于开掘。因为一个耕作者刚要开辟田地，或一处牧场，就会把鼻子碰在一块原属德鲁伊教祭司的生铁碎块上，或是一带沼泽地上，那里什么也不出产，除了一点质量极差的泥炭，或是一些压扁了的橡树的残骸，人们用它们来做火柴、裁纸刀、餐巾环、念珠、圣牌及别的小玩意儿。比如说吧，玛尔特的圣母雕像，就是产于巴里巴的。那些牧场，尽管雨水丰沛，还是异常贫瘠并夹杂着石块。生长茂密的只是狗牙草和一种奇怪的蓝色味苦的禾本科植物，不宜于作为大牲畜的饲料，但好歹可以喂驴子、山羊跟黑绵羊。巴里巴又是从哪里来致富的呢？我来告诉您吧。不，我什么也不说。什么也不说。

这就是我从家出发之前自以为知道的关于巴里巴的一部分情况。我现在自问有没有把它与另一个地方弄混。

从离我那栅栏门二十多步远的地方起，小巷沿着墓地的围墙而下。小巷越往下行，围墙就越升越高。到了一定的地方，人们就行走得低于死人的位置了。在那里我有自己的永久墓地。只要大地存在，那个位置就是我的，从原则上讲是这样的。我时不时地去看看我的墓。它已经在那儿了。那是个简单的拉丁十字架，白颜色的。我本想放上我的名字，写上长眠于此及我的出生日期。人们将来只要加上我死亡的日期就行了。我没有被允许这样做。有时我笑笑，好似我已经死了。

我们将步行好几天，走在秘密的路径上。我不想在大路上露面。

第一天我发现了安布普瓦兹神甫的雪茄烟的烟蒂。我不仅没有把它扔在烟灰缸里，字纸篓里，我还在换衣服的时候把它放进了衣袋。我是在自己没察觉的时候做的。我惊讶地望着雪茄，点燃了它，吸了几口，把它扔掉。这是第一天值得注意的事。

我教我儿子怎样使用微型指南针。这给予了他极大的快乐。他表现得很好，比我希望的要好。第三天我把他的刀还给了他。

天气对我们很有利。我们一天很轻易地就能走上十英里。我们在美丽的星光下睡觉。出于谨慎。

我教给我儿子看怎样用树枝做一个庇护所。他在童子军营待过，却什么也不会做。不，他会生一堆营火。在每一个停歇处他都乞求我让他施展这一才能。我看不出这有什么用处。

我们吃冷的东西，那些我派他去村里买来的罐头食品。他就是为我做这个的。我们喝溪流里的水。

所有这些防护措施肯定都是毫无用处的。

有一天在一个营地上，我瞥见了一个我认识的农人。他朝我们走来。我马上折回，拽着我儿子的胳膊，拉着他朝相反的错误的方向走。如我预料的那样，农人赶上了我们。在向我问候了之后，他问我们到哪里去。那营地该是他的吧。我回答说我们回家去。幸亏我们离家还不是太远。他问我我们曾经在哪里。也许有人偷了他一头牛或一头猪吧。随便逛逛，我回答说。我很愿意用我的车带你们回去，他说，但是我夜里才出发。真遗憾，我说。要是你们能等的话，他说，这是真心的。我谢绝了他。幸亏还不到中午。不想一直等到夜里，这没什么奇怪的。好吧，好好逛逛，他说。我们兜了一大圈才重拾北上的路。

毫无疑问这些防护措施是过分了些。为了把事做好，其实应该在夜间行进白天躲藏，至少在最初的一段时间里是这样。然而天气太好了，我下不了这样的决心。虽然我所考虑的不光是自己的乐趣，但是我是考虑着它的！这样的事在我的工作中还不曾在我身上发生过。还有我们行进的极其缓慢的速度！我一定是不急着到达目的地的。

沉浸在夏末的和美之中，我断断续续地思索着加贝尔的指令。我不能尽善尽美地把它们重现出来。夜里，在树冠下，摆脱了大自然的吸引，我全部投身于这一问题之中。我儿子睡觉时发出的声音极大地困扰着我。有时我从隐蔽所里出来，在黑暗中横向纵向踱着步子。或是坐下来背靠着树干，双脚缩在身下，胳膊拢住双腿，把下巴支在膝盖上。即使是在这一姿势中，我也不能清楚地看待事物。我寻找的到底是什么呢？很难说清楚。我在找那使加贝尔的报告趋于完整的东西。我想他一定告诉我了，一旦发现了莫洛伊该怎么做。我的任务从来不终止于测定方位。否则那太美了。我总得根据指示，对当事人采取这样或那样的行动。这些行动的方式是多种多样的，从最猛烈的到最审慎的。在耶克一案里，我花了几乎整整三个月的时间来进行，最终以我成功地攫取了他的领带别针并把它销毁而结束。建立起接触，那只是我工作的一个微小部分而已。我在第三天就找到了耶克。人们从不问我要成功的证据，他们相信我的话。尤迪一定有他印证的方法。有时我被要求写一份报告。

还有一次，我的任务是把某人在某时带到某地去。那是个棘手的工作，因为所涉及的不是个女人。我从来也没有接过女人的案子。我很遗憾。我想尤迪对此不是很感兴趣。说到这里，我记起了那个老掉牙的关于女人灵魂的笑话。问，女人有灵魂吗？答，有。问，为什么?答,为了使她们能够被罚入地狱。真有趣。人们幸亏为了那一日给了我一纸证书。重要的是钟点而不是日子。一旦赴约我就离开他了,随便用了什么借口。那是个善良的男孩,有点忧伤并沉默寡言。我隐约记得编造了一个女人的故事。等一等,我想起来了。对了,我告诉他她爱着他,有六个月了,非常渴望能在一处僻静的地方与他见面。我甚至说出了名字。是个有点名气的女演员。一把他带到她指定的地方,我当然得离开了,为了他们着想。我仍然能看到他望着我离去。他一定想跟我做个朋友,我想。我不知道接下来发生了什么事,一旦任务完成,我对我的捕获物就不再感兴趣了。我甚至可以说我没再重新见过他们之中的任何一个。我这样说未存一丝后顾之忧。哦,如果我是在平静的状态中,我可以给您讲述好多故事。我脑袋里的乌合之众,死人的展廊。莫菲、瓦特、耶克、梅西埃还有那么多别的人。我不会相信——不,我愿意相信。故事,故事。我不曾知道怎么讲述。我将也不知道怎么讲述这一个。

所以我不知道一旦我找到了莫洛伊,我应该用什么方法对他采取行动。在这一问题上加贝尔不会漏掉,而他向我提供的线索完全不在我脑子里了。这就是把星期天一整天都花在蠢事上的结果。我这样跟自己说,想想平常人家是叫我怎么做的,这无济于事。给我的指令不是平常的。有一些措施有时是重复出现的,但它们出现得并不是那么经常,以至于我所寻找的正巧就是它们。然而人们要我只做一次,而仅这一次就足以使我束手无策,我是那么谨慎多虑。

我对自己说最好别去想了,先找到莫洛伊再说,以后我会想起来的,这之间我会有时间,在我最不注意的时候答案会冒出来,万一在找到莫洛伊之后我仍然不知道该怎么做的话,我会想办法找到加贝尔而不让尤迪知道。我有加贝尔的地址,他也有我的。我给他发份电报,对莫做啥?他会清楚地回答我的,尽管出于需要言词是隐蔽的。但是巴里巴有电报吗?而我也这样对自己说,我仅仅是常人而已,我越慢些找到莫洛伊,我就越有希望想起我应该做的。我们本可以继续这样平静地步行前进,如果没有发生下面的事件的话。

一天夜里,像往常一样,我在我儿子的身边终于睡着了,我突然惊醒,觉得有人狠狠地击打了我。您放心,我是不会叙述所谓梦境的。我们的隐蔽处沉浸在最深沉的黑暗中。我一动不动地凝神静听着。只听到我儿子发出的呼噜声和喘气声。我刚要像往常一样对自己说那只是场噩梦,一阵闪烁性的剧痛穿过了我的膝盖。这就解释了我为什么会突然醒来。这确实类似于一击,我想象中的马蹄的一击。我焦虑地等待着它再来,一动不动屏住呼吸,当然还出着汗。我的表现与我认为的,人们在同样的场合里的表现实际上是一模一样的。疼痛过了几分钟又来了,但没有第一次,是没有第二次那么重。或是因为我在等着它疼痛就显得不那么厉害了?或是因为我已经开始习惯了?我想不是。因为它又来了,有好几次,每一次都不如前一次严重,最后完全平息了下来,我甚至又能勉强地安然入睡了。但在重新睡去之前,我记起来这一疼痛并不完全是新的。因为我已经体会过,在浴室里,当我给儿子灌肠的时候。而那时它只是袭击了我一次,以后就没再来过了。我入睡的时候还问着自己,自我宽慰着,使我如此疼痛的是同一个膝盖还是另一个膝盖。这是件我永远也无法弄清的事情。我儿子也不清楚,他在被盘问时也答不上来,在我们出发的那个晚上,我用碘酒,在他面前揉的是两只膝盖中的哪一只。我再次睡去的时候安心了些,对自己说,这只是由长途跋涉及凉而湿的夜所引起的神经痛,我决定一有机会,就弄一盒盖子上有个美丽的小精灵的保温棉絮。思想是如此迅捷。但事情没有就此了结。

因为在临近黎明的时候我又醒了，这一次是出于自然的需要，并且阴茎微微勃起，确切地说，我没能起来。就是说我终于起来了，我必须起来，但那是以怎样的代价呀！没能够，说起来容易，写起来容易，而事实上没有再困难的事了。毫无疑问由于意志力，最微小的抵制也被激发了。就这样我首先以为自己不能弯曲膝盖了，但坚持下去我能够弯曲了，弯曲了一点。关节强硬并不是完全的。我谈的一直是我的膝盖。但它与那使我在入夜时醒来的膝盖是同一只吗？我不能肯定。膝盖并不疼痛。它只是没有了反射能力。那疼痛，徒然警告了我多次的疼痛，沉默了。我就是这样看待此事的。我不能跪下，比方说，因为人们不管以何种方式跪，都应该弯曲两只膝盖，除非采取一种稀奇古怪的姿势并且不可能坚持到几秒钟以上，我是说病腿伸在前面，像高加索舞蹈家的舞姿一样。我借着手电的光亮查看膝盖。它既不红也不肿。我使关节运转。它看上去像阴蒂。在所有这段时间内，我儿子像海豹一样大打呼噜。他想不到生活中会发生什么。我也曾一样幼稚。但是我知道这个。

在太阳升起之前那一小会儿，天空是那种难看的光亮。每样东西都阴险地重新获得了它们在白昼里的位置，安置下来，死去了。我小心谨慎地坐在地上，我得承认是带着好奇心的。换了别人会想要像往常一样坐下，一屁股坐下。我不。对这一新的十字架，我马上找到了最好的搬运它的方式。当人们席地而坐的时候，人们要么盘腿而坐，要么抱膝而坐，这可以说是对初学者来说，唯一可能的姿势。没过多久我就任凭自己后背朝地了。同样没过多久我就在自己的知识总和上加上了这么一条，在所有正常人能采取的姿势中，只有两三种是容易被人接纳的，尽管这些姿势其实是丰富无穷的。如果我没有经历过这件事的话，我会坚持相反的顽固观点。是的，当人不能舒服地站着或坐着的时候，人们就逃避在不同的水平姿势中，就像孩子在母亲的膝上的时候。人们以前从未对此发掘过，而一旦发掘起来，就会从中发现不容置疑的美妙之处。简言之，其美妙是无穷尽的。万一人们长此下去会感到厌倦的话，人们只要站立片刻，或是从躺姿变成坐姿。这就是局部无痛麻醉的好处。我将不会惊讶于那些经典的大麻痹带有类似的甚至是更震撼人心的满足。最终一动都不能动，那该是件大事！我一想到这里，思想都融化了。与此同时是完全的失语症！也可能是完全的失聪！谁知道呢，视网膜的麻痹！极有可能的是记忆力丧失！只剩下足够的脑部用于狂喜！用于恐惧，死亡如同一次新生。

我思索着万一我的膝盖不见好转或越来越坏我该怎么办。透过枝叶，我凝视着，天空在降低。天空在清早降低，对这一现象人们没有加以足够的注意。它降下来像是为了观看。要不就是地面升高，在离去之前，想得到赞同。

我不会细述我的推理。虽然这对我来说是很容易的。它使我最终作出了构成如下段落的结论。

你睡好了吗？我说，我的儿子一睁眼我就这么说。我本可以叫醒他，但是不，我让他自然地醒过来。他最后对我说他觉得不舒服。他经常答非所问，我儿子。我们在哪儿，我说，离这儿最近的村庄是哪个？他告诉了我名字。我认识，曾经去过，那是个很大的镇子，运气在我们这一边。在那些住户中，我甚至有几个认识的人，今天是哪一天了？我说。他不假思索地告诉了我。他才刚刚醒过来！我告诉过您他在历史和地理上面是把好手。从他那里我才知道，流经孔东城的是巴伊斯河。那好，我说，你马上去侯尔镇，你有——我计算着——最多三小时。他吃惊地看着我。到了那儿，我说，你买一辆大小适合于你的脚踏车，尽可能是二手的。你可以花到五镑钱。我给了他五镑钱，都是十先令一张的。一定要有个结实的后座，我说，要是座架不够结实，你让他们给你换个结实的。我尽量讲得清楚明白。我问他是否高兴。他看上去不太高兴。我重复了这些指令，又问了问他是否高兴。他看上去更像是惊愕。这也许是他感到巨大快乐的结果。可能他不相信自己的耳朵。你至少明白了？我说。时不时地来那么一点儿真正的交谈，是让人愉快的。告诉我你该做什么，我说。这是唯一能弄清他是否明白了的方法。我要去侯尔镇，他说，离这儿十五英里。十五英里？我说。是的，他说。好吧，我说，接着说。买一辆脚踏车，他说。我等着。什么也没有了。一辆脚踏车！我喊起来。可侯尔镇有成千上万的脚踏车！什么样的脚踏车？他思索着。二手的，他碰着运气。要是你找不到二手的车呢？我说。你跟我说是二手的车，他说。我好一会儿没说话。要是你找不到二手的车呢，我最终说，你该怎么办？你没告诉我，他说。这真让人有种休整的感觉，时不时地讨论一下。我给了你多少钱？我说。他数着票子。四镑十，他说。再数数。他又数了一遍。四镑十，他说。给我，我说。他把票子给了我我数起来。四镑十。我给了你五镑，我说。他不回答，任凭我谈论着数字。他难道拿走了我十个先令，并把它藏在了身上？把衣袋掏空，我说。他掏空衣袋。我一直躺着，别忘了。他不知道我病了。其实我没有病。我模模糊糊地看着我面前的东西。他从口袋里一样样掏出来，用拇指和食指小心地拿着，让我看见这些物件不同的侧面，然后把它们放在我身边的地上。当衣袋空了以后，他掏出里子抖动着。如此扬起一团灰土尘雾。这一检查的荒谬性马上让我处于难堪的境地。我叫他停下。可能他把十先令藏在袖子里了，或是嘴里了。我应该站起来搜他的身，完全彻底地搜。但他会看出来我病了。我不是确实生病了。为什么我不愿意他知道我病了呢？我不知道。我本该数数我剩下的钱。但那又有什么用？我难道知道带出来多少钱了吗？不。我对自己也甘愿实行苏格拉底方法。我难道知道自己花费了多少吗？不。往常我精确地计算我旅途的花销，连一个便士的来龙去脉都弄得很清楚。这一次却不是。那将是一次愉快的旅行，如果我没有从容地挥霍金钱的话。就算我弄错了吧，我说。我只给了你四镑十。他冷漠地捡起满地的物件，把它们重新装回衣袋里。怎么让他明白呢？别管它们了，听我说。我把票子递给他。数数，我说。他数。多少？我说。四镑十，他说。十什么？我说。十先令，他说。你有四镑十先令，我说。对，他说。我给你了四镑十先令，我说。对，他说。不对，我给了他五镑。你同意吧,我说。对,他说。你以为我为什么给你这么多钱?我说。为什么这么多钱?他说。他的脸亮了起来。为了买一辆脚踏车,他说。什么样的脚踏车?我说。二手的,他说,对答如流。你想象一辆二手的脚踏车要花四镑十先令吗?我说。我不知道,他说。我也什么都不知道。但问题不在那儿。我是怎么确切地跟你说的?我说。我们一起寻找答案。尽可能是二手的,我最后说,我是这么告诉你的。啊,他说。这段二重唱,我给出的不是全文,我显示的只是它主要的轮廓。我没跟你说二手的,我说,我说的是尽可能是二手的。他重新拾起他的玩意儿。随它们去,我喊起来,注意听我说。他夸张地松手丢下一团混乱的大线球。那十先令可能就在里面。你看不出二手的和尽可能是二手的的区别吗?我说。我看了看表。十点了。我所加到我们的观念里面去的只是混乱而已。别琢磨了,我说,但听好我要对你说的,因为我不说两遍。他靠近我跪着。人们会以为我正在死去。你知道什么是一辆新脚踏车吗?我说。知道,爸爸,他说。那好,我说,要是你找不到二手的脚踏车你就买辆新脚踏车。我重复一遍。我重复了一遍。我说过我不会重复。现在告诉我你要做的是什么,我说。我加了一句,把你的脸离远点儿,你的嘴真臭。我差点补充道,你不刷牙还抱怨有脓肿,但我及时忍住没说。这不是引出另一个主题的时候。我重复说,你该做什么?他沉思着。到侯尔去,他说,有十五英里——别去管英里数,我说。你在侯尔。为了做什么?不,我不能。他最终明白了。这辆车是给谁的,我说,是给戈林将军的吗?他还没明白车是给他的。在那一时期,他确实只比我矮一点点。至于后车架,就像我什么也没说过一样。然而他的智力终于全盘领会了。以至于他问我要是钱不够他该怎么办。你再回到这儿来我们再考虑,我说。我自然想到了,在我儿子醒来之前,我已思考了所有这些问题,看到他这么年轻,人们准会为难他,问他是从哪儿弄到的这么多钱。我知道在这种情况下他该怎么办,那就是去找,或是请人把他带到宪兵队长保罗那里,告诉他他的姓名并说是我,雅克·莫朗,托付他到侯尔镇购买一辆脚踏车的,假设我是待在西特的。这里所涉及的显然是两桩不同的行动,一桩首先是预测情况(在我儿子醒来之前),另一桩是在那里找到对付的方法(在得知侯尔是最近的居民集中地之后)。然而我放弃了传授他这些微妙的要领的企图。别怕,我说,你有足够的钱买一辆漂亮脚踏车,你一分钟也别耽误把车带回来。我应该什么都跟我儿子一起考虑好。他是不会知道车买了以后该怎么办的。他甚至会傻傻地待在侯尔镇,上帝知道他将是在什么样的境遇里,等待新的命令。他问我怎么了。我准是龇牙咧嘴了。我看你看得够了,我说。我问他还在等什么。我不舒服,他说。他刚问我怎么了,我什么也没说,而谁也没问他怎么了,他却宣称自己不舒服。你不高兴吗,我说,有一辆美丽崭新的脚踏车,为你独有?我坚持想要听他说很高兴。然而我很遗憾自己的话,它只会增加他的困惑。而对于这次家庭讨论会来说,这已经足够了。他离开了隐蔽所,当我断定他走远了之后,我也一瘸一拐地钻出来。他走了大约二十来步。我摆出一副轻快的步态,后背懒洋洋地靠着一棵树干,好腿大幅度地弯曲在坏腿的前面。我呼喊他。他转回身来。我挥舞着手。他看了我一会儿,然后背朝着我重新上路。我喊他的名字,他再一次回身。一盏提灯!我喊叫着。一盏好提灯!他什么也没明白。在二十步以外,他怎么能明白呢,离着一步远他就什么都听不明白了。他朝我走来。我朝他打手势叫他离开,一边朝他喊着,走!走!他停下来看着我,脑袋歪在一边像一只鹦鹉,看上去完全不知所措。我冒冒失失地做了个弯身的动作,想拾起一块石头或木片或泥块,不管是什么投掷物，我险些跌倒。我折下头顶上的一段新鲜树枝，朝他所在的方向猛烈地掷去。他退回去并飞跑着离开了。有些时候我真的弄不懂我的儿子。他该知道我够不着他，即使是用一块好端端的石头，尽管如此他仓皇而逃。也许他怕我追在后面。我相信在我的跑姿里，的确有什么吓人的东西，头朝后仰着，牙齿紧咬，两肘弯到最大的程度，膝盖运动得几乎碰到脸上了。多亏了这种跑法，我经常抓到比我跑得更快的人。他们宁可停下来等待我，而不愿拖延这一追逐中如此可怖的爆发。至于提灯，我们目前不需要提灯。等以后，当脚踏车在我儿子的生活中，在他那义务与天真的游戏所组成的生活中占据了一席之地的时候，那时一盏提灯将是不可或缺的，以照亮他夜间的行程。毫无疑问是预见到了这一幸福的将来我才想到了提灯，才朝我儿子喊叫叫他买盏好的，为使他往往返返的路程被照亮而没有危险。我本该同样对他说好好注意车铃，把铃铛的小盖子旋开仔细往里看看，以便放心地知道那是个好铃并且状况良好，在成交之前，让它响一响，听听声音怎么样。但我们会有时间，在晚些的时候，来料理这些事情。我将带着快乐来帮助我儿子，在时机到来之时，给他的脚踏车装上最好的灯，车前车后都一样，还有最好的铃和最好的闸。

白昼显得很漫长。我想念我的儿子！我尽量找事做。我吃了好几顿吃的。我趁自己终于一个人了，除了上帝外就没有别的证人了，我趁这个时候手淫。我儿子也一定会有相同的主意，他准是停在哪儿手淫。我希望这会带给他比我更多的快感。我绕着隐蔽所走了好几圈，想着这样走对我的膝盖一定会有好处。我走得很快，以至于没觉得特别疼，但马上我就累了。走了十多步以后我的腿感到异常疲劳，确切地说是异常沉重，我不得不停了下来。疲劳一会儿就过去了，我又可以重新开始。我服了一点儿吗啡。我问自己一些问题。为什么我没叫我儿子给我带些药回来？为什么我向他隐瞒了我的病情？我难道心底里对发生在我身上的这件事感到高兴吗，甚至可能都不想治愈？我长时间地沉浸在周围的美景中，长久地凝望着树木、田野、天空、小鸟并聆听着远近的声响。一瞬间我以为自己捕捉到了我曾提到过的沉寂，我以为是这样的。躺在隐蔽处，我想着我已着手的任务。我试着再一次想起当我找到莫洛伊的时候，我该做些什么。我一直挪动到小溪边。我趴下，在洗脸洗手之前望着自己水中的影子。我等待着我的面影重新组合起来，我看着它颤动着，越来越像我。时不时地，我脸上的一滴水滴落而下，又把影子搅乱了。白天我没有看到任何人。而夜里我听到有脚步声绕行在隐蔽所的四周。我一动也不动。脚步声远去了。但过了一会儿，我不知为何缘故从棚子里钻了出来，看到有个男人在离我几步远的地方，一动不动地站着。他转身背朝着我。他穿着一件对目前的季节来说太厚重了些的大衣并挂着一根过粗的棍子，下部比上部要粗很多，人们会以为是根大头棒。他转回身来，我们长久地默默凝视着。就是说我赤裸裸地盯着他，像我惯常做的那样，为了使人相信我不怕他，而他却向我投来迅速的几瞥，然后垂下眼睛，看上去不是因为羞怯，而是要静静地思索一下自己所看到的是什么，然后再截取别的印象。因为那目光出奇地冷峻而富有力量。那张脸苍白而美丽，我感到满意。在他脱下帽子的时候，我估计他有五十五岁，他把帽子在手里拿了一会儿，就又把它戴到头上去了。这与人们所说的脱帽致意没有一点相似之处。但我相信自己躬身致意了。那顶帽子非常奇特，式样和颜色都是如此。我不会试图去描述它，它不能列入我所熟悉的任何帽子种类中去。他的头发，脏东西也遮不住它雪白的颜色，是丰盈而蓬松的。在他把头发重新压到帽子下面之前，我及时看到，头发在他的头颅上缓慢地扬起。

那张脸污秽多毛,对,它苍白、美丽、污秽而多毛。他有个奇怪的举止,就像一只母鸡蓬起羽毛,然后又慢慢地变得比原来小。我以为他要一言不发地离去。但突然他向我要一块面包。伴随着这一谦卑的要求的是他熊熊燃烧的目光。他的口音是外乡人的,或是一个已失去语言习惯的人的。事实上我带着宽慰,对自己说,只要从背影上一看,就知道他是个外乡人。您要一罐沙丁鱼吗?我说。他向我要面包,我提议给他鱼。我的全部性格都在这里面了。面包,他说。我回到隐蔽所,拿了那块我留给儿子的面包,他回来时一定会很饿。我把面包递给他。我等着他当场狼吞虎咽下去。但他把面包折成两半,把它们塞进大衣口袋。您准许我瞧瞧您的棍子吗?我说。我伸出手去。他没有动。我把手放在棍子上,在他的手上面。我感觉到他的手指慢慢地松开了。现在是我拿着棍子。它的轻巧令我吃惊。我把棍子送还到他手里。他最后瞥了我一眼走开了。几乎是夜里。他行走时的脚步快而不稳,与其说是拄着不如说是拖着那根棍子,他经常变换方向。我多么希望这是在中午时分,是在沙漠中,我用双目注视着他,一直到他成为一个小点,在地平线处。我在外面又待了好一会儿。有时我竖起耳朵。但我儿子还没回来。我开始觉得冷了,就回去躺下,躺在我儿子的大衣上。当我觉得困得要睡着了,我就又出来生了一大堆火,为了把我儿子指引到我这里来。火着起来的时候,我对自己说,那么现在我可以暖和一下了!我取着暖,在感觉到火焰的热度以后,我揉搓着双手再把它们伸向火堆,我背朝着火又掀起衣服的下摆,旋转着身体像一只烤肉串一样。最终,受够了炎热与疲劳,我躺在火堆旁的地上睡着了,一边还自语着,也许一颗火星会烧着我的衣服,我会像一只燃烧的火炬一样醒来。我还自言自语了很多别的事,好像是一系列互不相关又没有任何联系的事物。然而我醒来的时候又是白天了,火已经熄灭了。但是火炭还是热的。我的膝盖不见好,但也没见更坏。就是说它们是可能坏了些,而我并没有觉得,因为我采取了越来越仁慈的态度。但我相信不是这样。因为听听我的膝盖,又让它经受了几个考验,我对这一关于习惯的说法表示怀疑而试着抛下它。而另一个声音,在秘密中满足了我的感觉,它说,没有变化,莫朗,没有变化。这看起来是不可能的。我走到树丛里,为了给自己削一根棍子。但在终于找到了一根适合于我的树枝之后,我想起来我没有刀子。我回到遮蔽处,希望在我儿子摆在地上又忘了拾起的那堆物件里找到刀子。那里也没有。我的目光却落在了雨伞上面,我对自己说,既然有了伞还削什么棍子。我练习着拄着伞走路。以这种方式行走,如果说我行进得并不更快,疼痛也并未减轻的话,那么至少我不那么快就感到累了。本来走上十步就要停下来以便歇息,现在我很轻易地在不得不停下来之前,能走上十五步。在歇息的时候我的雨伞也派上了用场。因为我发现用伞支撑着身体时,毫无疑问由于缺乏血液循环而造成的腿的沉重感,比我硬撑着只靠肌肉与生命之树的力量站着时要消失得快。如此这般装备起来之后,我不再仅仅满足于围着棚子绕圈子了,像我前一天所做的那样,而是以放射状朝各个方向延伸。我甚至攀上一座高地,从那里我能更好地观察到随时可能出现的我儿子的踪影。我不时在想象中看到他回来,俯身在车把上或是直立在脚蹬上,越来越近,我听到他的喘息,看到他那张娃娃脸上最终归来的喜悦。但同时我也守望着我们的小棚,它不可思议地吸引着我,以至于那种最简便的走法,即在外围以它为中心绕大圈,对于我是不可行的。每一次我都沿原有路径返回,走近棚子,以便放心所有的一切都井然有序,然后再选择另一条路。我在这第二天里把大部分时间都花在这些徒劳无益的往往返返之中,这些观望与想象之中,但我没有这样度过一整天。因为我也时而在棚里躺下，它就像是我的小家，以便静静地思考一些事情，尤其是食品储备很快就要枯竭了，以至于在我五点钟狼吞虎咽了一顿之后所剩下的食物只有两罐沙丁鱼罐头、一把饼干和几个苹果了。但我也试着记起一旦我找到了莫洛伊，我该对他做些什么。同时我也俯身在自身之上，在这些时间以来我所产生的变化之上。我仿佛看到自己以转瞬即逝的速度变老。但显示于我的并不确切地是那个老的观念。我所看到的更近于是一种粉碎，是那个自始以来保护我，使我得以逃离命数的那一东西的狂暴的崩溃。或者说我经历着一种越来越快的穿凿运动，朝着我也不知道是哪一天哪一张脸，相识的还是不相识的。但是怎样描述这一感觉呢，它从阴沉巨大，吱嘎作响，布满石子之处突然变成了液体。于是我看到一个小球从深处缓慢地升起，穿过平静的水域，先是连成一体的，比簇拥着它的漩流稍微清楚一些，然后一点点地显出脸来，带着眼睛及嘴巴处的凹洞及别的伤痕，让人不知道这张脸是男是女，是老是少，也不知道它的沉默是否并不出于把它与白昼隔开的水的效果。然而我得说这些我那崩溃的情感在其中寻找容身之处的可怜的影像只吸引了我若有若无的注意。我没再追究下去的事实再一次显示我发生了怎样的变化，我对于克制自己变得怎样无动于衷。如果我一再坚持的话，毫无疑问，我会依着自己进行一个又一个的发现。但是我仅仅满足于让它们产生一星半点的光明，我是说在这占据了我的阴暗的动荡里，借助于一个影像或一个判断，我又被抛入其他的烦恼中。再过些时候一切又重新开始。在这一行动方式中我也不能好好地辨认出自己了。因为在我的本性之中，我是说在我的习惯中，我没有同时应对的能力，而是分而置之轮流地把我的思考推入极致。即使是在莫洛伊一案中我所缺乏的指令，当我感觉到它们在我记忆中搅动的时候，我也突然绕开它们转向别的未知的东西。如果是在十五天前我会快乐地计算以我现有的食物我还能再过几天，同时一定会钻研维生素和卡路里的问题，并在头脑中列出一系列几近于无食物的菜单，这一天我仅仅满足于懒洋洋地知道，如果我没法补充食物来源的话我将死于营养不足。就这样过去了第二天。但在进入下一天之前，还有件事值得一述。

我刚刚生完一堆火，正当我看着它着起来的时候，我听到有人叫我。那是个男人的声音，离我如此接近，以至于我惊跳起来。但我又安定下来继续弄火，就像什么也没有发生一样,我用一根树枝拨弄着火,树枝是我刚刚从树上拽下来的,我扒去了枝杈和叶子,甚至一部分树皮,用我的指甲。我总是喜欢扒去树枝的皮,让它光溜溜的,露出美丽光洁的芯子。然而对于树木的隐晦的爱与怜悯之情经常阻止我这样做。我的挚爱要数特内里费岛上的那棵活了五千年被雷电击毁的龙血树了。它是长寿的例证。我戳到火里去的是一根充满汁液的粗壮的树枝,它着不起火来。我拿着细的那头。火的噼啪声,更确切地说是蜷曲的木头的噼啪声,因为火自身并不噼啪作响,而是发出另外一种声音,那噼啪声使一个人在我毫不留意的时候,近至我身旁。唯一使我恼火的是,这事完全出乎我的意料。尽管我吓了一跳,我仍然继续拨火,就像自己只是一个人一样,我希望他无声无息地走开。但是在他的手突然触及我的肩膀时,我不得不像所有处于我这一境地的人所反应的那样,就是猛然转过身来,带着我希望装出的害怕与愤怒。就这样我面对着一个男人,因为是在昏暗中,我分辨不清他的形象及面目。你好,朋友,他说。但是渐渐地我对来人的种类有了一个大概的了解。那就是在他身体的各个部位之间有一种很大的一致性及和谐性,人们可以说他的身体就是他的脸,反之亦然。如果我看得到他的屁股,毫无疑问我会觉得它跟其他的部位一样。我没想到在这荒郊野外会碰到人,他说,真是运气。我离远些那开始熊熊燃烧的火,火光不再被我挡着,而投射到突然闯入者的身上,我得以发现自己并没有弄错,他正是我隐约预见的那种讨人厌的捣乱者。您能告诉我吗,他说。我不得不简要地把他描述一下,尽管这违背我的原则。他算是个矮个儿,可是很墩实。穿着身式样难看的深蓝色的厚西装(背心的两襟交叠),还有一双黑色的肥得过分的鞋,鞋底比鞋帮还要高。这令人作呕的样子可以算得上是黑鞋中的专有了。您不知道,他说。一条两头带穗子的深色长围巾,至少有七尺长,在他的脖子上绕了好几圈,然后垂落在他的后背上。他戴了顶暗蓝色的窄沿毡帽,在毡帽的饰带里别了根扎了只假蝇子的钓鱼钩,这装扮看上去是再好运动不过了。您听见了吗?他说。然而这一切与他的脸比起来就算不了什么了,我很遗憾地说,他的脸隐约像我,当然没有我的脸精细,但它有同样的糟糕的小胡子,同样的小雪貂眼睛,同样的鼻侧翼,还有又薄又红的嘴,就像是由于没完没了地要与舌头为难而变得通红充血。说话呀!他说。我转身朝向火。火势良好。我扔了些木头在上面。我跟您说话有五分钟了,他说。我朝小棚走去,他挡住了我的去路。看到我一瘸一拐的，他胆子大了起来。我奉劝您回答我的话，他说。我不认识您，我说。我笑起来。这本来挺好的。先生要看我的名片吗？他说。名片什么也不能告诉我，我说。他朝我走得更近些。您让开，我说。现在是他笑起来了。您拒绝回答吗？他说。我做了很大的努力。您想知道什么？我说。他准是以为我恢复了最好的脾气。我更喜欢这样，他说。我向随时都可能到来的我儿子的身影求救。我告诉过您了，他说。我颤抖着。请您再说一遍，我说。简而言之。他问我是否看见过一个带棍子的老人。他描述他。很糟。声音像是从很远的地方传来的。没有，我说。怎么没有？他说。我没看见过任何人，我说。可他从这里经过过，他说。我沉默不语。您在这儿有多久了？他说。他的身体也变得模糊了，好像分散开来。您在这儿干吗？他说。您是监管地盘的吗？我说。他朝我伸过一只手来。我相信我又跟他说了一回让开。我还记得那只伸向我的手，白白的，张开又收起。人们会以为它是自己在活动。我不知道发生了什么事。但过了一会儿之后，也许是很久之后，我发现他躺在地上，脑袋稀巴烂了。我很遗憾不能清楚地指出是什么样的方式导致了这一结局。那将会是很棒的一段。但是我的故事是不会到那种地步的，我不打算投身于文学。我自己什么事也没有，不，有几处我第二天才发现的抓伤。我俯在他身上。这样做的时候我发现我的腿又可以弯了。他不再像我了。我抓起他的脚踝，倒退着把他拖进小棚。他的鞋涂着层厚厚发亮的鞋油。袜子是人字形的花纹。裤脚提了起来，露出两腿发白无毛的肌肤。他的脚踝纤细而瘦削，跟我的一样。我的手指几乎能把它圈起来。他别着袜卡，其中的一个弄坏了不见了。这一细节使我动情。我回到火堆边。我的膝盖又僵硬了。它不再需要变得柔软了。我回到小棚里，拿了我儿子的大衣。我回到火边躺下，盖着大衣。我几乎没睡，但我也睡了一会儿。我听着猫头鹰的叫声。那不是鸱鸮，其叫声如火车鸣笛。我听着一只夜莺，还有远方的呻吟。如果我听说过别的在夜里叫唤唱歌的鸟的话，我也会倾听它们的声音的。我看着火灭去，我的两手平放着，一只叠在另一只之上，垫在腮下。我窥视着黎明。在它刚刚隐约显露的时候，我就爬起来到小棚里去。他的膝盖也同样僵硬了，但幸亏腰部的关节还可以活动。我把他一直拖到树丛中，途中不断地停下来歇息，但我并未放开过他的脚踝，以便不必再俯身把它们拾起来。然后我拆毁了小棚，把搭棚子用的那些树枝都扔在尸体上面。我整理出两只袋子，把它们背在背上，拿了大衣和雨伞。我撤离营地，就这么着。但在离开之前我静默了一会儿，以便确信什么也没落下，我并没有只相信自己的脑子，因为我摸了摸我的衣袋并朝四周观望。正是在摸衣袋的时候我发现钥匙不见了，我的脑子没能告诉我钥匙的丢失。我马上发现它们都散落在地上，穿它们的圆环断了。事实上我先发现了链子，然后是钥匙，最后才是圆环，裂成两半的圆环。因为即使有雨伞撑着，我也根本不可能每捡一把钥匙就弯一次身，所以我放下背包，雨伞和大衣，平趴在钥匙中间，以这种方法，我得以不费力地把它们捡回来。当有的钥匙在我能够到的范围之外的时候，我就一直爬到那里，两手拽着草。在把每把钥匙都装进口袋里之前，我在草上擦擦它们，不管有没有这个必要。我两手时不时地撑地直立起上身，以便更好地观望四周。有几把离我相当远的钥匙，正是以这种方式发现的，我一直滚到那里去，像根大圆柱一样。当我看不着钥匙的时候，我对自己说，反正也用不着数，因为我也不知道它们共有多少。于是我再用眼睛去搜寻。但最终我对自己说，算了，我对找到的钥匙知足就是了。就在我这样找钥匙的时候，我捡到了一只耳朵，我把它扔到树丛里去了。还有，更奇怪的是，我捡到了自以为戴在头顶上的窄边草帽！一个穿松紧带的洞一直裂到帽檐上,我敢这样说,是因为那不再是一个洞,而是一个裂缝了。而另一个洞还保持原样,松紧带一直穿在里面。最后我对自己说,我现在要爬起来了,我用深沉的目光,最后搜索了一遍地盘。我是这么做的。我是这么发现了圆环,先是半个,然后是另外那半个。然后,再也找不到什么属于我或我儿子的东西了,我重新收拾背包,把草帽紧紧地扣在头顶上,把我儿子的大衣折起来夹在胳膊肘底下,拿起雨伞我就走了。但我并没走远。因为我没过多久就在一座小山岗的顶上停了下来,从那里我可以不费力气就观望到扎营地点及周围的乡野。我还好奇地注意到,这个地方的土地,甚至天上的云,都以一种秩序排列,使人的视线渐渐地归集到营地上,犹如一幅大师画作的效果。我尽可能舒适地安顿下来。我撂下了各种负荷,吃了一整罐沙丁鱼和一个苹果。我平趴在我儿子的大衣上。我一会儿两肘支地,用两手支撑着下颚,这使我的目光伸向地平线处,一会儿我两手垫在地上,像个小垫子把脸枕在上面,五分钟一边,五分钟另一边,总是趴着的。我本可以用两只袋子做个枕头,但我没那么做,我没想到。白昼在寂静中流逝,没有发生任何事情。只有一只狗打断了我这第三天的单调无聊,它先是绕着我那座火堆的残骸转了几圈,然后钻进树丛中去了。但我没再看到它出来,也许我的注意力在别处,也许它从另一头出去了,贯穿过整片树丛。我修理了我的帽子,借助于开沙丁鱼罐头的起子,在旧洞的旁边又开了一个新洞,并重新调节了松紧带。我也修理了钥匙的圆环,把两半圆环盘结在一起,我穿上钥匙,并把链子再次连在上面。为了使时间显得不那么漫长,我问了自己一些我极力试图解答的问题。下面就是其中的几个。

问:那顶蓝色毡帽,它变成什么样了?
答:
问:那个持棍的老人会被怀疑吗?
答:很可能的。
问:他洗清自己的机会有多少?
答:寥寥无几。
问:我应该告诉我儿子所发生的事吗?
答:不,因为他将负有告发我的责任。
问:他会告发我吗?
答:
问:我感觉如何?
答:跟平常差不多。
问:可是我变了并一直在变?
答:对。

问:尽管如此我的感觉还是跟平常差不多?

答:对。

问:怎么会是这样呢?

答:

这些问题以及其他的问题是由多多少少显得漫长的时间间隔开的,不仅是问题与问题相间隔,而且还有属于它们的答案。答案并不总是按照问题的顺序出现的。在为所给出的每一个问题寻找一个答案或一些答案的时候,我找到一个答案,或一些答案,给我那个徒然提出的,我不知道怎样回答的问题,从而我又有了另一个问题,或是另一些问题,它们也要求我即刻予以回答。

此时此刻,我在想象中回答自己的问题的时候,我敢肯定我是用坚定而满意的手写下这一段落的,我的精神长久以来都没有如此安宁过。因为在人们阅读这几行文字之前,我将在很遥远的地方了,谁也不会想到到那里去寻找我。然后尤迪将会照管我,他不会让我因为在执行任务中偶然犯下错误而受到惩罚的。人们也不能把我儿子怎么样,他们更可能会同情他,同情他有这样一个父亲,各种无偿援助及尊敬的保证将从四面八方向他涌来。

第三天就是这样过去的。在五点钟的时候

我吃了最后那罐沙丁鱼罐头和几块饼干,胃口极好。以至于所剩下的只有几个苹果和一些饼干了。然而七点钟的时候,太阳已经相当低了,我儿子回来了。我一定是处于半睡眠状态中,因为我没有先在地平线处发现他是一个小点,然后越来越大,像我事先料想的那样。而当我瞥见他的时候他已经在我与营地之间了,他正朝着营地而去。一股巨大的激愤吞没了我,我猛地站了起来开始吼叫,还挥舞着雨伞。他转过身来,我朝他比画着叫他靠近,挥动着伞,就像我要用伞把钩住什么东西一样。我有一瞬间以为他要向我挑战,继续走他的路一直到营地那儿去,或不如说是到曾经安过营的地方去,因为那儿已经不是营地了。但他最终朝我走来。他推着一辆脚踏车,我朝它迎去,他松手让它倒地的动作表示出他受够了。扶起来,我说,让我看看。它其实曾是辆挺不错的脚踏车。我很乐意描绘它,我很乐意对它进行四千字的描述。就是这个,你的脚踏车吗?我说。我的注意力只有一半在他的回答上,我继续观看这辆脚踏车。但在他的沉默中我感觉到了什么不寻常的东西,它使我抬起眼睛朝他看。他都快把眼睛从脑袋里瞪出来了。你怎么了?我说,我的裤裆开扣了吗?他又一次松手丢开脚踏车。扶它起来,我说。他把车扶起来。你把你自己怎么了?他说。我摔了一跤,我说。摔了一跤?他说。对,摔了一跤,我喊了起来,你从来没摔过跤吗?我寻找着在缢死者精液洒地处生长出的当人们采集它时会叫唤的植物的名字。你付了多少钱?我说。四镑,他说。四镑!我喊了起来。要是他跟我说两镑,或是三十先令,我也会同样地大叫的。他们管我要四镑零五,他说。你有收据吗?我说。他不懂收据是什么。我给他描绘了一番。我为我儿子的教育花钱而他却不知道什么是张收据。但我确信他跟我知道的一样清楚。因为当我对他说,现在告诉我收据是什么的时候,他说得非常明白。其实说到头来,即使人们是用比这辆脚踏车的实际价格多出三四倍的价钱卖给他的,或是他拿了一部分买车的钱给自己花了,这对我都没有什么两样了。因为兜里得钱的反正不是我。把那十先令给我,我说。我花了,他说。够了,够了。他开始向我解释第一天商店都关门了,第二天……我对他说,够了,够了。我查看后车架。这是这辆脚踏车最好的地方。还带有气筒。它至少能骑吧?我说。它在侯尔以外两英里的地方瘪胎了,他说,下面的路我都是走路下来的。我看了看他的鞋。给我再往胎里打气,我说。我抓住脚踏车。我忘了是哪个轱辘了。只要有两个差不多的东西我就糊涂了。他在弄虚作假，空气从气门嘴与气管之中漏出，他故意不拧紧。扶着车，我说，把气筒给我。轮胎马上就硬了。我看着我儿子，他辩解起来，我让他住口。五分钟之后我捏了捏轮胎。它还是像刚才一样硬。你是个废物，我说。他从衣袋里掏出一大块巧克力，把它递给我。我拿过来。尽管我非常想吃，并且我厌恶浪费，但是在犹豫了一刻之后，我还是把它远远地扔开。而这一刻的犹豫，我希望我儿子并没有觉察。够了。我们下坡来到路上。更确切地说是来到小径上。我试着坐在后车架上。我那条硬腿要伸到地里去，到坟墓中去。我用背包垫高自己。好好扶着车，我说。背包不够。我又加上了皮挎包。它的鼓包直硌我的屁股。东西越不顺我的意我就越较劲。只要时间继续，哪怕我只用指甲与牙齿，我也要升出地腹直达表面，尽管我明明知道自己不会赢。而当我不再有指甲，不再有牙齿，我将用我的骨头刮岩石。现在我简单陈述一下我找到的办法。先是皮挎包，然后是背包，再然后是我儿子叠成四折的大衣，它们都用我儿子的线绳头，结结实实地绑在后车架及车座连着的竖梁上。至于雨伞，我把它挂在自己的脖子上，这样我就可以两手空着抓我儿子的腰了，或不如说是他的胳肢窝，因为最终我处在比他更高的位置上。走，我说。他绝望地努力了一下，我很愿意如此。我们都摔倒了。我感到胫骨处一阵强烈的疼痛。我被压在后轮下面。救命！我喊。我儿子把我扶起来。我的长袜破了，腿在流血。幸亏是那条坏腿。要是两条腿都完了，那我该怎么办呢？那对我正好。也许是塞翁失马呢。我自然想到了静脉切开放血术。你没事吧？我说。没事，他说。这是显而易见的。我用雨伞猛击了一下他的腿弯，我看见他那里的肌肉在短裤与长袜之间发出光泽。他尖叫了一声。你要害死我们吗？我说。我没劲儿，他说，我没劲儿。脚踏车看上去没事，后轮也许有点弯。我即刻明白了自己的过错。那就是在启动之前，我完全是坐着的，两脚悬空。我思考了一下。我们再试试，我说。我不行，他说。别往后拱我，我说。他骑坐在车架上。我给你个信号的时候你就慢慢地骑，我说。我重新爬上后车架。坐在那儿，我的腿够不着地。就应该这样。等着我给你信号，我说。我从侧边滑下一点，一直到好腿那侧的脚着地。承重的轮子上就只有我那条坏腿的重量了，它艰难地跷起叉开。我的指头插进我儿子的短上衣。慢慢骑，我说。轮子开始前行。我跟着，半拖半跳。我担心我那晃荡的睾丸。快点儿！我喊着。他踩动脚蹬。我一跃坐到了位子上。脚踏车摇晃着,又稳下来,速度越来越快。好样的!我叫了起来,因喜悦而疯狂。乌拉!我儿子高喊起来。我是多么厌恶这一欢呼啊!我甚至不想记录下来。他跟我一样高兴,我相信。他的心脏在我的手下跳动,虽然我的手远离他的心脏。幸亏是下坡路。幸亏我修理了我的草帽,不然风会把它刮走。幸亏天气晴朗,我不再独自一人。幸亏,幸亏。

就这样我们到了巴里巴。我不去讲述我们所遇到的千难万阻,我们所要哄骗的居心不良的生物,行为失检的儿子,濒临崩溃的父亲。我曾有意,我几乎渴望,讲述这一切,当我想到一旦时机到了我就可以讲述的时候,我就兴奋不已。现在我不再想了,时候到了,欲望却过去了。我的膝盖不见好。也不见坏。胫骨的伤口愈合了。独自一人我将永远不会到达。这要归功于我儿子的帮助。什么?到达。他经常抱怨自己的身体状况,他的肚子,他的牙。我给他一点儿吗啡。他的脸色越来越不好。我问他到底怎么了,他也说不上来。脚踏车也出过不少毛病。但是我都经历过来了。没有我的儿子我是到不了的。我们花了很多时间。几个星期。我们经常走错路,我们并不行色匆匆。我一直不知道,一旦我找到了莫洛伊我该怎么办。我没有再去想。我经常想我自己,当我坐在我儿子身后,脑袋比他还高的时候,当我在营地上而他在来来去去或是不在跟前的时候。因为为了探问情况和买东西,他经常不在。这么说来我什么也不做。我得说,他把我照顾得很好。他笨手笨脚,很愚蠢,慢慢腾腾,脏兮兮的,又撒谎,又乱花钱,阴险狡猾,冷淡无情,但是他不抛弃我。我经常想到我自己。也就是说我经常瞥自己一眼,闭上眼睛,忘记了,再重新开始。我们用了很长时间才进入巴里巴,我们进入了巴里巴甚至还不知道。停下,有一天我对我儿子说。我刚刚瞥见了一个样子讨人喜欢的牧羊人。他坐在地上抚摸他的狗。一些黑绵羊,毛很稀疏,在他们四周游荡,没有畏惧。这是怎样的牧人之乡啊,我的上帝。我把儿子留在路边,我穿过草场朝他们走去。我时不时地停下来休息一下,撑在我的雨伞上。牧羊人看着我走过去,没有起身。狗也是,没有叫。羊也一样。是的,它们一点一点,一只跟着一只,转身朝向我,正对着我,看着我走过去。只有几个短暂的倒退的动作,一些瘦蹄蹬地的声音,泄露出它们的混乱。身为绵羊,它们看上去并不怕人。我儿子自然注视着我离去,我后背上感觉到他的目光。寂静是绝对的。至少,是深沉的。对于所有的事物来说,这都是庄严的一刻。天色很美。黄昏降临。每次停下来的时候我都朝四野望去。我望着牧羊人，羊群，狗，甚至还有天空。而当我走路的时候，我所看见的只有土地和我腿脚的运动，好腿先迈到前面去，收住，放下来，等着另一条腿与之会合。我最后在离牧羊人十来步的地方停下来。再往前走是不必要的。我多想对他大书而特书。他的狗爱他，他的羊群不怕他。他就要起身，因为感到露水降下。羊舍还很远，很远。他将远眺到家的灯火。我现在置身于羊群之中了，它们围着我打转，目光汇集于我。我也许是来选羊的屠夫。我抬了抬帽子。我看到狗的目光一直追寻着我的手的动作。我仍旧看了看四周，什么也没能说。我不知道怎么样来打破沉寂。我差点一言不发地转身离去。而我终于说了，巴里巴，我希望用的是疑问的语调。牧羊人从嘴里取下烟斗，并用烟管指地。我渴望对他说，把我也带上吧，我将忠诚地服侍您，什么也不要，有吃有住就行。我明白了，可看上去一定不像是明白了，因为他重复了好几次，用烟管指地的动作。巴里，我说。他抬起手，手迟疑了一会儿，像是置于一张地图之上，然后固定下来。烟斗仍冒出轻烟，片刻间烟缕把空气染成蓝色，又随之消散。我朝所指的方向望去。狗也一样。我们三个都转身朝向北方。羊群对我不再感兴趣了。它们可能懂了。我听见它们开始吃草，游走。我终于瞥见，在平原的尽头，一片依稀红雾，那是成百上千的灯火的汇集因距离的遥远而显得模糊。它与星系并存。在美丽平直而昏暗的地平线处宛如一个裂口。我感激夜幕的降临，它使人见到光亮，天上的星光及地上人造的勇敢而弱小的光。如果是在大白天，牧羊人将会白白地用烟斗指向那漫长而清晰的天地交合处。但现在我感觉到他们，人与狗，都再次转向我，他重新吸起烟斗，希望火并没有熄灭。我知道自己独自一人在注视着远方的微光我知道它会越来越亮，越来越亮，然后突然熄灭。我不愿独自守望，也许跟我儿子在一起，不，独自一人，被如此吸引。正当我问着自己怎样才能没有怨悔，没有痛苦地离开此地的时候，一阵无边无际的叹息在我四周浮起，告诉我离去的不是我，而是羊群。我看着它们离开，男人在前，羊群跟在其后，拥在一起，头垂着，互相挤撞，时不时地离开几步，没有停步地从地上盲目地扯起最后一口草，最后是狗，左右摇摆并晃动着毛茸茸的大黑尾巴，尽管没人理睬它的满足，如果那是表示满足的话。这一小群羊就这样井然有序地前行，用不着主人吆喝狗干预。毫无疑问它们将一直这样走到羊棚或羊栏中去。在那里牧羊人会让开路让他的牲口们进圈,当它们从他面前经过的时候,他为了问心无愧而草草地把它们数上一遍。然后他走向自己的房子,厨房的门是敞开着的,灯燃着,他进去在桌前坐下,帽子没有摘。而狗在门槛前停下,不知道是否可以进去还是应该留在外边。

这一夜我与我儿子发生了一场激烈的争吵。我不记得是因为什么了。等一等,也许这很重要。

不,我不知道。我与我儿子有过那么多次争吵。当时对我来说就像是一场别的争吵,这就是我全部知道的了。我准是要把它引向一个屡试不爽的绝技,即熟练地向他证明他所犯下的巨大错误。但是第二天我明白自己弄错了。因为我一大早醒来发现自己单独一人,在小棚里,而往常总是我先醒。我独自一人甚至已经有好长时间了,我的本能这样告诉我,好长时间我儿子的气息不再与我的气息相混合,在这个在我指导之下他所盖起的狭窄小棚里。他是骑着车走的,在夜里或是在黎明最初的羞涩时分,这事情本身没有什么值得大惊小怪的。如果所涉及的只是这个的话,我会找出一些出色而堂皇的解释。不幸的是他还带走了他的包和大衣。在棚里及棚外,没有一件属于他的东西留了下来,什么也没有。不仅如此,他还拿了一笔可观的钱,而平时他只有偶尔的几个便士而已,来填充他的意大利储蓄罐。自从他什么都管起来了以后,当然是在我的指导之下,特别是在购物上,我在钱上对他有了一定限度的信任。他身上总带着一笔远远超过最起码需要的钱数。为了表示确有其事,我还要加上这些。

1. 我希望他学会做双份的账,我反复灌输给他这方面的最基础的知识。

2. 我觉得自己不再有勇气来料理这些不值一提的琐事,而它们曾经是我的快乐所在。

3. 我叫他在四处游荡的时候,睁大眼睛,注意第二辆脚踏车,轻巧而便宜的。因为我坐够了后车架,况且我看到我儿子不再有力气为两人蹬车的日子即将来临。我相信自己有能力,我说什么,我知道自己有能力,经过一点儿练习,能学会用一只脚骑车。那样我就能重新回到自己的位置上,我是说领头的位置。我的儿子将跟随着我。这样就不会发生不名誉的事了,即我儿子,无视我的指令,当我要他向右的时候他向左,我要他向左的时候他向右,或我要他向左或向右的时候他向前,这种事近来发生得越来越频繁。

这就是我想要添加的。

但是查看了一下我的钱包,我发现里面只

有十五先令了，这使我相信我儿子不只满足于他身上已有的钱数，他还掏了我的口袋，在他离去之前，趁我还睡着的时候。我的第一个反应，心灵是多么奇怪啊，是感激他留给了我这笔小钱，足够我在得到援救之前应急之用，我从中看出了一种十分微妙的体贴之情！

于是我独自一人，只有我的皮挎包，我的他原本也可以拿走的雨伞跟十五个先令，知道自己被冷冰冰地抛弃，毫无疑问是蓄意地有预谋地，在巴里巴这个地方，如果您愿意的话，我确实在此地，但还是在离巴里相当远的地方。我待了好几天，我不清楚是多少天，在我儿子抛弃我的原地，吃我最后的食物（他本可以轻易地把它们也带走的），看不到灵魂的活动，没有能力进行反应，或许是太强了，以至于无所反应。因为我很平静，我知道一切都将结束，或重新活跃起来，这都无关紧要，将采取什么方式也是无关紧要的，我只需等待。我甚至任凭自己海阔天空地想象，为的是更好地碾碎那些稚气的希望，并以此为乐，比如我儿子，一旦气消了，会可怜我，重新回到我的身边！或是莫洛伊，这就是他的家乡，会一直来到我跟前，而我却不知道怎么到他跟前去，我会成为他的一个朋友，一个父亲，他会帮助我做我要做的事，以至于尤迪不会生我的气恼罚我！是的，我让它们在我心中生长堆积，无数动人的细节为之闪耀生辉，然后我扫荡它们，用厌恶的大扫把一挥，我把自己洗涤干净，并满意地瞧着曾被它们污染过的空无之境。夜里我转身朝向巴里的万家灯火，我望着它们越燃越亮，然后几乎一同熄灭，恐慌的人类的肮脏闪烁的小光。我对自己说，说吧，要是没有这件倒霉事，我也许已经在那儿了！还有这奥比迪尔，我差点谈论的，我那么希望就近瞧一瞧的，我永远也看不到，不管是在近处还是远处，我只能是有分寸地把握一下。想到尤迪会对我采取的处置，我即刻被一阵大笑所摇撼，却没有发出任何一点微细的声音，我脸上的表情也只是忧伤与平静而已。但是我的整个身躯都在震颤，一直震到双腿，以至于我只有靠在一棵树上，或一簇灌木上，当这是在我站立着的时候发生的，我的雨伞已经不足以使我保持平衡了。那是奇怪的大笑，好好思索了一下之后，我只能姑且称之为懒惰或无知。至于我自己，这一忠实的消遣，我得说我几乎不去想了。而有些时刻我仿佛离它并不遥远，我接近于它就如沙滩接近膨胀变白的海浪，我得说这景象并不符合我的境遇，它更接近于等待冲水的粪便。我在此要提一下我曾有过的一次心动，那是在我家里，一只苍蝇，在我的烟灰缸上低飞，它翅膀扇起的细风，扬起了一点儿烟灰。我变得越来越衰弱满足了。我有好几天没吃东西了。我肯定能找到一些桑葚蘑菇，但我对它们没有兴趣。我整个白天都躺在小棚里，依稀地遗憾没有了我儿子的大衣，晚上我走出去，在巴里的灯火前大笑一通。在我感到胃痉挛的些许疼痛和腹部胀气的同时，我感到异乎寻常的满足，满足于我自己，几乎是狂喜，因我本人而欣喜。我对自己说，我不久就会完全丧失神志了，这只是一个时间的问题。然而加贝尔的来临结束了这些娱乐。

那是个晚上。我刚刚拖着身子挪出小棚，想好好享受我的一笑并更好地体会我的衰竭。他在那儿已经有好一会儿了。他坐在一座树墩上，半打着瞌睡。你好，莫朗，他说。您认得出我？我说。他掏出记事簿并把它打开，舔湿手指，翻着纸页，找到对的那页，把它凑近也朝它凑去的眼睛。我什么也看不见，他说。他穿得像最后那一次一样。那么我批评他的礼拜日盛装是错误的了。至少这又是一个星期日了。但难道我不是总是见到他如此穿扮吗？您有火柴吗？他说。我不认识他这遥远的声音。或是只手电筒，他说。他准是从我脸上看出来了我没有任何亮的东西。他从口袋里掏出个小电棒，用它照亮纸页。他念，莫朗，雅克，回家，事件全部了结。他熄掉电棒，把记事簿合在手指上，望着我。我不能走路，我说。什么？他说。我病了，我动不了，我说。您说的我一个字也听不见，他说。我朝他喊叫，我不能走动，我病了，得有人抬着，我儿子把我抛弃了，我受够了。他沉重地从头到脚把我打量了一番。我撑着雨伞走了几步，给他看我不能走路。他重新打开记事簿，再次照亮那页纸，长久地询问着它，然后说，莫朗将重回他的住所，事件全部了结。他合上记事簿，把它放进口袋，把电棒重新放进口袋，站起身，两手摸着胸脯，宣称他渴死了。对我的面色他只字不提。从我儿子从侯尔带来脚踏车的那天起我就没有刮过胡子，梳过头，洗过脸了，更不要说各种各样的缺乏以及内在的巨大的变化了。您认得出我？我叫起来。我认得出您吗？他说。他想了想。我知道他在做什么，他在找最能伤害我的话。老天莫朗！他说。我因为虚弱而摇晃。要是他说这个老莫朗，总是如此，我会在他的脚下死去的。天色越来越暗。我自问此人是否真的是加贝尔。他生气了吗？我说。您碰巧没有一小瓶啤酒吗，他说。我问您他生气了吗，我喊了起来。生气，加贝尔说，您有些好啤酒，他从早到晚搓着两手，我从候客室里就能听到。这说明不了什么，我说。他自己发笑,加贝尔说。他肯定生我的气了,我说。您知道那天他跟我说什么了吗?加贝尔说。他变了吗?我说。什么?加贝尔说。他变了吗?我喊了起来。变了,加贝尔说,不,他没有变,他为什么要变,他变老了,就这样,像世界一样。今晚您的声音很怪,我说。我相信他没听见我的话。好吧,他说,他又一次双手掠过胸脯,从上到下,我走了,既然您没什么给我喝的。他走开去,没跟我道别。可是我追上了他,尽管他让我感到厌恶,尽管我浑身虚弱拖着条病腿,我还是抓住了他的袖子。他跟您说了什么。他停下来。莫朗,他说,您开始真的让我烦了。我求您了,我说,告诉我他说什么了。他推我。我摔倒了。他不是故意把我推倒的,他没意识到我是处于怎样的状态之中,他只想让我离远点儿。我没试图爬起来。我发出一声号叫。他靠近我,俯身在我的身上。他唇上留着高卢式的栗色大胡子。我看到它在抖动,嘴唇张开,我几乎立刻听到了关切的话。他不是粗鲁的人,加贝尔,我了解他。加贝尔,我说,我不要求你什么。这一幕我记得很清楚。他想扶我起来。我推开他。我在我所在的地方挺好的。他对您说了什么?我说。我不明白,加贝尔说。您刚才说他对您说了些什么,我说,后来我打断了您。打断?加贝尔说。您知道那天他跟我说什么了吗,我说,这就是您的原话。他的脸亮了起来。他几乎跟我儿子一样生动,这个大加贝尔。他跟我说,加贝尔说,他跟我……大声点儿!我叫了起来。他跟我说,加贝尔说,加贝尔,他跟我说,生命是个很美丽的东西,加贝尔,一个闻所未闻的东西。他把他的脸凑近我的脸。一个闻所未闻的东西,他说,一个很美丽的东西。他微笑着。我闭上眼睛。微笑,是挺美的,很鼓舞人心,但它需要一点距离。我说,您认为他说的是人类的生命吗?我听着。要知道他说的是否是人类的生命,我说。我睁开眼睛。我是独自一人。手里满是自己在不知不觉中抓起的草和土,我总是在抓。我连根拔起。我停止这样做,对,就在我意识到我做了什么的时候,我所做的,是多么可耻的事的时候,我不再做了,我张开两手,手马上就空了。

这一夜我踏上了归程。我没走多远。但那是个小小的开端。重要的是第一步。第二步就差一些了。每天我都看到自己又前进了一点儿。这句话不清楚明白,它没说出我想说的意思。我先是数上十来步。我在走不动的时候停下来,但我对自己说,好样的,这就是十来步,比昨天多出来的。然后我数上十五步,二十步,最后是五十来步。是的,最后我在停下来之前能走上五十来步,然后歇着,撑在我忠诚的雨伞上。一开头我准是在巴里巴游荡了一些时候,如果我真是在巴里巴的话。然后我走上差不多与我们来时走过的相同的路。但是路变了样子,方向是相反的。我吃,出于理智,所有自然界,森林,田野,水,所提供给我的可食之物。我的吗啡用完了。

我接到回家的命令是在八月份,最迟是在九月份。我回到家的时候是春天,我不想说得再确切了。那么我走了整个一冬天。

换了别人一定会趴在雪里,不想再起来了。可我不是。我从前相信人是不能把我怎么样的。我还一直相信自己比事物更强。有人还有物,别跟我提动物。也别提上帝。如果有样东西抵抗我的话,即使是对我好,也不会抵抗我多久。比如说,那雪。其实说起来它是在召唤我而不是在抵抗我。但从某种意义上来说它是在抵抗我。这就够了。我征服它,磨咬着喜悦的牙齿,人们完全可以磨咬门牙。我在雪中杀出一条路,朝着我可以称之为我的失落的方向,如果我能设想我还有什么可以失落的话。我也许从那时起设想出了,我也许还没有设想出来,随着时间人总会成功的,我将会成功。但是在旅途中我没去设想,因为我成为狡猾的物与人的群攻对象再加上我肌体的衰竭。我的膝盖，撇开它的适应性不说，给予我的痛苦相对于第一天来说既没增多也没减少。病情，不管它是什么，没有发展。人们可以解释这种事吗？但是还是回到苍蝇上面来吧，我相信有些苍蝇是在冬天刚开始的时候孵出来的，在房子里面，它们很快就会死去。人们看到它们一丁点小，在温暖的角落里飞，慢悠悠地，既不活跃也没有声音。就是说人们时不时地看见一只。它们准是很年轻就死了，还未产卵。人们扫到它们，用扫帚把它们扫进簸箕，都不知道。这就是奇怪的一代苍蝇。但我成了别的感染的猎物，不是这个字眼，对大部分人而言的肠道感染。我不想对此进行渲染，我很遗憾，不然那将是很美的一个段落。我要说的只是换了别人在没有帮助的情况下是没法克服它的。可是我不！身体弯成两截，用空着的手按着肚子，我前进，时不时地迸发出一声绝望的或胜利的吼叫。我吃进去的一些苔藓应该是对此负有责任的。我这人，一旦我把准时到达刑场的念头放进了脑袋瓜里，血痢疾是阻挡不了我的，我四肢着地向前爬行，拉泄出肠子肚子，使厄运与诅咒为之震惊。我告诉过您了，得到我的将只是我的兄弟。

一些神学方面的问题奇怪地萦绕着我。以下就是其中的几个。

1. 那个认为夏娃不是从亚当的肋骨,而是从他腿部(屁股?)脂肪中的一个肿瘤中出来的理论有什么样的价值?

2. 蛇曾经是爬行的还是,像考麦司脱肯定的那样,是直立行走的?

3. 圣母马利亚是否像圣奥古斯丁及亚多巴希望的那样是通过耳朵受孕的。

4. 伪基督还要让我们抻着脖子等多久?

5. 人们用哪只手洗肛门的创口真有什么重要性吗?

6. 怎么去想爱尔兰人的誓言,右手放在圣物上宣誓,而左手放在生殖器上?

7. 自然界遵守安息日吗?

8. 魔鬼对地狱的酷刑一点儿也不感到痛苦是真实的吗?

9. 怎么去想克雷格的代数神学?

10. 圣洛克小的时候在星期三和星期五都不愿吃奶确有其事吗?

11. 怎么去想十六世纪把害人虫逐出教会的做法?

12. 应该对意大利鞋匠洛瓦特自我阉割,钉上十字架的举止予以赞扬吗?

13. 上帝在创世之前在鼓捣什么?

14. 享见天主在时间长了之后,不会成为厌倦之源吗?

15. 犹大的酷刑每到星期六就停止是真的吗?

16. 如果把追思弥撒诵读给活人听呢?

我给自己诵念美丽寂静的天主经,上帝不仅在地上在地狱里更在天上,我不想也不渴望您的名被颂扬,您知道什么对您合适,等等。中间和结尾处非常优美。

我就是躲避在这样一个浮浅而迷人的世界里,当我的苦盏溢满的时候。

但我也问自己一些与己更相关的问题。下面就是其中的几个。

1. 为什么没管加贝尔借几个先令?
2. 为什么服从了回家的命令?
3. 莫洛伊变成怎么样的了?
4. 对于我的同样的问题。
5. 我会变成怎样的了?
6. 对于我儿子的同样的问题。
7. 他的母亲在天上吗?
8. 对于我母亲的同样的问题。
9. 我会到天上去吗?
10. 我们有一天会在天上重逢吗,我、我母亲、我儿子、他母亲、尤迪、加贝尔、莫洛伊、他母亲、耶克、莫菲、瓦特、卡米耶和别的人?
11. 我的那些母鸡变得怎么样了,我的蜜蜂呢？我的灰母鸡一直活着吗？

12．祖鲁，埃尔斯纳姐妹，他们一直活着吗？

13．尤迪一直在原有的地方保有他的办公室吗，在阿卡西亚广场八号？我要是给他写信呢？我要是去看他呢？我将解释给他听。我将给他解释什么？我将请求他原谅。原谅什么？

14．冬季不是异乎寻常地严酷吗？

15．我已经有多长时间没有做忏悔领圣体了？

16．那个殉教者叫什么名字，他在监狱中，绑着铁链，身上布满了寄生虫及累累伤痕，不能动弹，在自己的胃上举行祝圣仪式并为自己赦罪？

17．一直到我死前我将做什么？难道没有方法来促发它，而不陷入罪孽吗？

在启动我所谓的身体，先是穿过这冰冷的孤独，然后，随着冰雪消融，穿过泥泞的孤独之前，我得说我非常想念我的蜜蜂，比想念我的那些母鸡要多，况且上帝知道我是否想念我的母鸡们。我特别是想它们的舞蹈，因为我的蜜蜂跳舞，哦，不是像人那样跳舞，为消遣娱乐，而是以另一种方式。我相信我是世界上唯一一个了解这个的。我在这方面进行过非常深入的研究。这舞蹈特别表现在那些载着或多或少的花蜜，回蜂箱中去的蜜蜂身上，它包括极其丰富的形状排列及节奏变化。我最终发现了一个信号系统，借助于这一系统，那些对采集结果满意或不满意的蜜蜂们指示出发的蜜蜂们应该朝哪个方向飞或不应该朝哪个方向飞。而出发的蜜蜂也跳舞。它们肯定在以自己的方式说，我知道了，或，别为我费心。一旦远离了蜂箱，置身于工作的时候，蜜蜂从不跳舞。那时秩序一词像是成了人人为己，假设蜜蜂有能力理解这样的概念的话。舞蹈专门是由一些非常复杂的飞舞出的形象组成的，我对其中的一大部分进行了分类，以它们的显然意义为依据。但是还存在着蜂音的问题，当蜜蜂接近或离开蜂箱的时候，其中音色的差异，很难说是纯属于偶然的现象。我先是认为每一形象都借助于属于它的专有的蜂音来强调自己。但我不得不放弃这一令人愉快的观点。因为我看到同样的形象（也就是我自己所称的同样的形象）是由很不同的蜂音相伴的。从而我告诉自己，蜂音根本不是用来强调舞蹈的，而恰恰相反是来丰富它的。一模一样的形象会根据伴随它的蜂音的不同而完全改变意义。我在这一问题上收集并类编了很大一部分的观察材料，并非无成果可言。然而还不仅仅是形象与蜂音的问题，还有形象所表现的高度。我确信同样的形象，由同样的蜂音伴随，在离地面十二尺的时候所表达的意义与离地面只有六尺的时候所表达的意义完全不一样。因为蜜蜂不是随随便便地在任何高度跳舞的，而是在总是同样的三四个不同的高度上跳舞。而如果我告诉您到底是哪些高度，它们之间的关系是什么，因为我仔细地量过它们，您一定是不会相信我的。再说这也不是我为自己招来怀疑者的时候。人们有时还觉得我是写给读者大众看的。尽管我在这些问题上做了那么多的钻研，我比任何时候都更晕头转向于这个无穷无尽的舞蹈的复杂性，那里一定存在着别的定性因素的参与，而我对其还一无所知。我对自己说，满心欢喜地说，这就是一个我终生可以研究的，永远也不会明白的东西。在这个回去的旅途中，当我细问自己有什么小小的快乐可能会到来的时候，我就想起了我的蜜蜂及它们的舞姿，从而整个人就几乎振作了起来。因为我总是时不时地倾心于一个小小的快乐！而这个舞蹈从深处来说不过是西方人的舞蹈，浮夸而没有意义，我接受并不反对这种可能性。但对我说来，坐在我那些沉浸在阳光中的蜂箱旁，这总是一个美丽可观的东西，并且它所具有的意义是我人类的理念永远也玷污不了的。我永远也不会对我的蜜蜂犯下我对上帝犯下的错误，人们教我把我的愤怒、恐惧和欲望，乃至于我的身体都交付予这后者。

我提到过一个给予我指示，更确切地说是给予我建议的声音。就是在这次归程中我第一次听见它。我当时并未加以注意。

现在说说我的身体，我是很快就变得面目全非了。当我用两手抚掠过脸的时候，这是个习惯性动作，现在比任何时候都更可原谅了，我的手所感觉的不再是同样的脸了，我的脸感觉的也不再是同样的手了。但是感觉的深处还是一样的，跟我仔细刮过脸洒过香水有一双知识分子的又白又软的手的那个时候一样。而这个使我无法认识我自己的肚子还是我的肚子，我的老肚子，多亏了我也不知道的什么直觉。全都说了吧，我继续认出我自己来，并且对自身比原来有了更清楚鲜明的意识，尽管它内部受损，外部布满了伤。从这样的观点来看，相对于我的别的认识而言，我是处于明显的劣势的。我很遗憾这句话没能说得更好。它值得，谁知道呢，表现得明朗无疑。

然而还有我的衣服，它们与我的身体是那么合而为一，以至于在和平的时候二者是密不可分的。对，我对服装一直是极敏感的，但我一点也不是那种纨绔子弟。我没有什么可抱怨自己的，一身装束，它们结结实实剪裁得体。

自然我的身体被遮盖得不够,可那又怨谁呢?我不得不与我的草帽分离,它不能使我的头挺立于风寒,还有我的长袜(两双)寒冷潮湿,长途跋涉以及我无法对它们进行适当的洗涤,使它们在很短的时间内真正化为乌有了。但是我把裤子背带放到最长,我的短裤,蓬蓬松松的,一直降到我的腿肚。当我看到我的短裤与我的短袜帮之间发蓝的肌肤的时候,我会时而想起我的儿子以及我给他的那一下子,思绪会因一点点微小的相似而激荡。我的鞋因为缺乏保养而变硬了。这是个阻止皮肤坏死变色的方法。空气在鞋里自由循环,也许阻碍了我的脚生冻疮。我也同样为我所别离的衬裤(两条)而感到遗憾。它们在我身体的泛滥的直接接触下腐烂了。所以我的短裤的内部,在从我的尾骨直到阴囊起始处的线上来回拉锯,很快也烧掉了。我还不得不扔掉了什么?我的衬衫?哦,不。但是我经常反穿着它,并且把前面穿到后面。让我们来看一下。我有四种穿衬衫的方式。前面穿在前面正着穿,前面穿在前面反着穿,前面穿在后面正着穿,前面穿在后面反着穿。到了第五天我重新开始。这是为了使衬衫持久。这使它持久了吗?我不知道。它持久。在小事上费尽心力,随着时间,会成就大事。但是我还不得不扔掉了什么?我的假领,对了，我把它们全部扔掉了，甚至在它们完全穿坏之前。然而我留下了我的领带，我甚至戴着它，直接系在脖子上，我想这很夸张。那是条带圆点的领带，但我忘了它是什么颜色的了。

当下雨、下雪、下雹子的时候，我就处于如下的二难推理的窘境中。或是挂着我的那把雨伞继续前进，把全身弄湿，或是停下来躲在我张开的雨伞之下。这是虚假的二难推理，按照真正的二难推理来说。因为我的伞顶上只剩下几块碎片还在伞骨间飘荡，我只能非常缓慢地前行，不把伞当作支撑，而当作遮蔽。然而我已那么习惯于，一方面我的漂亮雨伞的防水性能，另一方面不能没有它的支撑而行走，所以二难推理对我来说，完全存在。我当然可以用根树枝，给自己做根棍子，不管下雨，下雪，下雹子，都可以挂着它，继续前进，而雨伞张开在头顶之上。但我什么也没做，我也不知道为什么。而当天下雨，或天向我们下下来别的东西的时候，有时我继续行进，挂着我的雨伞，浑身湿透，但更经常的是我原地不动，把伞张在头顶之上等待一切过去。这样我也浑身湿透。但问题不在这儿。如果天降吗哪我会等着，一动不动，在我的伞下，等它停止，在我能享用之前。当我的胳膊疲劳得撑不住伞的时候，我就换一只手。而用空下来的手拍呀揉呀，它所能接触到的我的身体各部，为了使它们得到充沛的血液循环，或是我用这只手摸脸，以典型的我的手势。我的雨伞长长的顶端犹如一根手指。我的最美好的思想在这些停歇中出现。而当雨，等等，不像是会在白天，或在夜里停下来的时候，我就有理由做一个真正的遮蔽所。但我不再喜欢真正的，用树枝搭起的遮蔽所。因为很快就没有树叶了，只有一些球果植物的针叶。但这并不是我不再喜欢真正的遮蔽所的真正的原因，不是。而是在遮蔽所中我会不停地想念我儿子的大衣，我真切地看到它（大衣），我只看到它，它充满整个空间。那其实是我们的英国朋友所称的雨衣，我感觉到它的橡胶，尽管通常说来雨衣不是用橡胶做的。所以我尽量避免，用树枝搭真正的遮蔽所，我更喜欢我的忠诚的雨伞，或是一棵树，一处树篱，一片树丛，一块废墟。

　　我走上大路，以车代步吗，这一想法没有在我的脑际中闪现。

　　说起我到村庄中求助，到村民家落脚，如果这一念头曾出现过的话，我也是不太喜欢它的。

　　我回到了家，身上还带着我那原封不动的十五个先令。不，我花了两先令。那是在这样的情况下。

我还忍受过这一桩之外的别的粗暴对待，别的鲁莽无礼，但我不讲述它们了。我们只举这个范例吧。也许将来我还得忍受其他的，这不一定，但人们不会知道了，这是一定的。那是个晚上。我正安静地待在雨伞底下，等待天气转晴，突然遭到了背后的一击。我什么也没有听见。我所在的地方只有我一个人。一只手使我转过身来。那是个脸色红通通的胖农夫。他披着件油布服，戴着顶圆帽，穿着靴子。圆鼓鼓的双颊上流淌着水，水顺着他唇上的大胡子往下滴。但这些描述有什么用呢？我们仇恨地对望着。他可能与那个曾经那么彬彬有礼地提议用他的车把我儿子和我捎回家的那个人是同一个人。我想不会。但他的脸却很面熟。还不光是他的脸。他手里提着一盏提灯。灯没有点亮。但他随时会点上它。另一只手里拿着把锹。有了它就不愁没有东西埋葬我了。他一把揪住我的上衣，正好是我上衣的反面。他还没有真正地摇晃我，他只在认为是时候的时候才摇晃我。他只是骂我。我搜寻着自己做了些什么，以致他这样。我准是扬了扬眉毛，我的眉毛几乎置于头发之中，我的额头只是些参差不齐的皱褶。我终于明白了我不是在自己家里。我在他的土地上干什么？如果有一个问题使我担心，我不能给它一个满意的答案的话，那就是这一个了。又是在别人的土地上！又是在夜里！又是在连狗都不愿出动的天气里！但是我没有丧失自己的冷静。这是个愿望，我说。只要我想要，我就能使自己的嗓音变得不同凡俗。这一定使他震动了。他松开了我。一次朝拜，我说，朝对我有利的方向继续发挥。他问我是哪儿。我赢了这一局。是西特的圣母像那儿，我说。西特的圣母像？他说，仿佛他了解西特就像自己的口袋一样，而那里没有任何圣母像。但那儿没有任何圣母像？她本人，我说。黑的那个？他说，为了考验我。据我所知她不是黑的，我说。换了别人就会被戳穿了。我可不会。我了解他们，乡下人的弱点。您永远也到不了，他说。正是为了她我不得不失去了我的儿子，我说，但保住了妈妈。这些情感只会得到养奶牛人的喜欢。要是他知道！我不再向他长久地讲述那些可惜没有发生的事。并不是我遗憾妮耐特。但她，可能的，不管怎么说，是的，遗憾，说到头来。那是怀孕妇女的圣母，我发了誓要穷愁潦倒地一直爬到她的壁龛之下，为了向她表达我的感激之情。这一事件可以使人对我那一时期还拥有的灵活表示钦佩。但我走得有点儿太远了，因为他的目光变恶了。您能帮我个忙吗，我说，上帝会报答您的。我加了一句，是上帝送您来的，今晚。向那些马上就要揍您一顿的人谦卑地提出请求，有时会得到很好的结果。一点热茶，我乞求道，不加糖也不加奶，为了使我恢复体力。为一个濒临困境的朝拜者提供这么个小小的帮助，您承认这是诱人的。那，到我家来，他说，您把自己烘干。我不能，我不能，我叫了起来，我发了誓要走直线。为了抹去这些话留给他的坏印象，我从口袋里掏出了一个弗罗林给他。给您的穷人。路很远，他说。上帝将伴随着您，我说。他思索着。有什么。特别是什么也没得吃，我说，不全是这样，我什么也不应该吃。啊，这个老莫朗，像蛇一样狡猾。我当然更喜欢强烈的方式，但是我不敢冒险。他最终跟我说等着就离去了。我不知道他的直觉是什么。当我断定他足够远了，我就收起雨伞，朝着与正确的方向垂直相反的方向出发，冒着猛烈的雨。就这样我花了一个弗罗林。

现在我可以结束了。

我沿着墓地而行。那是在夜里。也许是午夜。小巷是上坡路，我行走艰难。小风刮过微微放晴的天空，把云都吹散了。有一块永久出让的墓地真好。这真是件美好的事情。如果有的只是这一永久的话。我来到了栅栏门前。它锁着。非常正确。但我不能打开它。钥匙进到锁洞里，但是转不动。时间长了失效了？换了新锁？我朝它撞去。我一直退到小巷的另一侧，然后冲上去。我回到了家，正如尤迪指示我的那样。我最终爬了起来。是什么这么香？丁香吗？也许是报春花。我朝我的蜂箱走去。它们都在那里，像我害怕的那样。我揭开其中一个的盖子，把它放在地上。它是个小屋顶，脊部高耸，两侧是陡然下降伸展而出的斜面。我把手伸进蜂箱，穿过空荡荡的板层，摸到底部。在一个角落里，我的手碰到一个干燥多孔的圆球。它在触及之下立刻化为细屑了。它们集成一团团一串串，为了能热一点儿，为了能试着睡觉。我抓出一把。天太黑看不见，我把它揣进兜里。它没有一丝重量。整个一冬人们都让它们待在外面，人们取走了它们的蜂蜜，却没给它们喂糖。是的，现在我可以结束了。我不去我的鸡棚。我的那些母鸡也死了，我知道。只是它们，人们是用另一种方式处死的，也许除了那只灰的。我的蜜蜂，母鸡，我抛弃了它们。我朝房子走去。它在黑暗之中。门锁着。我撞开它。也许我可以用我那些钥匙中的一把打开它。我转动着开关。灯不亮。我进到厨房里去，进到玛尔特的房间里去。一个人也没有。房子被弃。电气公司切断了电源。他们后来想重新给我送电。只是我不要。我正是变成这样了。我重新回到花园里。第二天我看了那把蜜蜂。一团翅膀与圆环的灰尘。在楼梯下面,在信箱里,我发现了一些信件。一封是萨沃里的。我儿子很好。当然了。别提这一位了。他回来了。他在睡觉。一封是尤迪的,用的是第三人称,要一份报告。又是夏天了。我走了有一年了。我要走了。有一天我接待了加贝尔的来访。他要那份报告。瞧吧,我以为已经了结了,这些会面,言谈。下次再来,我说。有一天我接待了安布普瓦兹神甫的拜会。这是可能的吗!他望着我说。我相信他真的爱我,以他的方式。我告诉他不要再信任我了。他开始高谈阔论。他有道理。谁又没有道理呢?我离开他。我要走了。也许我会遇到莫洛伊。我的膝盖不见好。我现在有了一副拐。这样将会快些。光阴甚好。我可以学。所有可以卖的东西我都卖掉了。但我曾负债累累。我不再能忍受做一个人,我不会再尝试了。我不会再点亮这盏灯。我要吹灭它走到花园里去。我想到五六月里那些漫长的白日,我都是在花园里度过的。有一天我跟哈娜说话。她带给了我祖鲁、埃尔斯纳姐妹的消息。她知道我是谁,她不怕我。她从来也不出门,她不喜欢出门。她从她的窗口跟我说话。那些消息不好,但不完全是这样。里面也有好的。那是些美好的白天。冬天曾经出奇地严峻,所有的人都这么说。那么我们有权利拥有如此美妙的夏天。我不知道我们是否有权利。我的小鸟,人们没有杀死它们。那是些野鸟。但是挺亲人的。我认出了它们,它们也像是认出了我。但谁知道呢。有的鸟不见了,也有的鸟是新的。我试图更好地了解它们的语言。毫不借助于我的语言。那是一年中最长、最美的白昼。我生活在花园里。我提到过一个告诉我这个那个的声音。就是在这一时期里,我开始使自己与之相协调,开始理解它所要的。它用的不是人们教给小莫朗,轮到他时他又教给他的孩子的言词。所以开始时我不知道它要什么。但我终究明白了这一语言。我懂了,我了解,也许是以相反的方式。问题不在这儿。是它告诉我做出报告的。那么说我现在更自由了吗?我不知道。我会学到。于是我回到房子里,我写,是午夜。雨水抽打着玻璃。那不是午夜。天没有下雨。

1947 年

图书在版编目（CIP）数据

贝克特作品选集.3，莫洛伊/（爱尔兰）贝克特（Beckett, S.）著；阮蓓译.—长沙：湖南文艺出版社，2013.12（2025.6重印）
　ISBN 978-7-5404-6463-9

Ⅰ.①贝… Ⅱ.①贝…②阮… Ⅲ.①文学-作品综合集-爱尔兰-现代②长篇小说-爱尔兰-现代 Ⅳ.①I562.15

中国版本图书馆 CIP 数据核字（2013）第 261977 号
著作权合同登记号：图字 18-2013-204

贝克特作品选集 3
BEIKETE ZUOPIN XUANJI 3
莫洛伊
MOLUOYI

著　　者：	[爱尔兰]萨缪尔·贝克特		
译　　者：	阮　蓓		
出 版 人：	陈新文	监　　制：	谭菁菁
责任编辑：	冯　博　李　颖	责任校对：	艾　宁
特约编辑：	陈美洁	装帧设计：	CANTONBON
出版发行：	湖南文艺出版社		
印　　刷：	长沙超峰印刷有限公司		
经　　销：	新华书店		
开　　本：	787 mm×1092 mm　1/32		
印　　张：	8.5		
字　　数：	135 千字		
版　　次：	2013 年 12 月第 1 版		
印　　次：	2025 年 6 月第 2 次印刷		
书　　号：	ISBN 978-7-5404-6463-9		
定　　价：	48.00 元		